발 행  |  2023-12-14
저 자  |  김 선옥
펴낸이  |  한 건희
펴낸곳  |  주식회사 부크크
출판사등록  |  2014.07.15(제2014-16호)
주 소  |  서울 금천구 가산디지털1로 119, A동 305호
전 화  |  1670 - 8316
이메일  |  info@bookk.co.kr
ISBN  |  979-11-410-5993-4.

# 정원 가꾸기
# 마음 가꾸기
# 그림일기

## 2023년 봄 여름 가을

김 선옥 지음

프롤로그

올 초, 마당 가꾸며 함께하는 생명들의 이야기를 그림일기로 써보기로 했습니다. 3월 8일부터 시작한 그림일기가 제법 도톰해져 갈 때마다 새로운 행복감도 얻게 되었습니다. 전문화가가 아니기에 부족한 그림이지만, 펜으로 글을 쓰고 그릴 때 또 다른 즐거움도 얻게 되었습니다.

흙을 밟고 자연과 더불어 사는 소소한 삶에서는 자연의 모든 생물들이 가족이요, 친구요, 이웃이요, 화제가 됩니다. 그림을 통해 새롭게 접근해 본 정원생활에서 정원을 가꾸는 일이야 말로 마음도 함께 가꿔 가는 "맑은 일"이라는 것을 다시 깨닫게 되었습니다. 그림일기는 먼저 저에게 위안과 여유를 주었고 제가 얻은 즐거움을 독자분들께도 잠시의 여유와 위로로 함께 나눌 수 있다면 좋겠다는 마음이 들어 책으로 엮어 봅니다.

그림일기는 하네** A4 스케치북에 라* 수성 만년필로 쓰고, 스케치한 후 파버*** 수성 색연필과 까렌** 수성 크레용으로 색을 입혔습니다. 스마트폰(갤럭*** 20)으로 찍어 그림만 잘라 올리고 글은 그대로 컴퓨터로 옮겼기에 그림의 화질이 좋지 않은 점도 있습니다. 선명하게 표현되지 못한 점도 있지만 그림속의 자연이 주는 이야기, 마음으로 읽어 주시고 응원해 주시면 감사하겠습니다.

늘 격려해 주는 가족들과 친구들, 브런치 매거진으로 올릴 때 항상 격려해 주시던 작가님들께도 감사 인사 올립니다. 고맙습니다.

2023년 12월 13일 은강 김선옥 올림

# 차례

# 1화. 봄 구근 심던 날 (20230308. 수. 낮 기온 17도, 아침저녁 선선)

인터넷으로 주문했던 구근이 배송되었다. 본격적으로 봄기운을 나눌 시점이다. 으아리 클레마티스(보라색 2개, 분홍색 1개 10Cm 포트) 뷰티 오브 워스트, 빌리데 라이온은 현관옆에 심고 지젤은 청단풍나무 사이에 심었다.

아이리스 구근 (블루매직 5개, 몬테시토 5개)는 현관옆 산딸나무 주변으로 심었다. 백합(바카리 2개)은 앞정원 로즈메리 뒤편으로, 백합(몬테뉴 2개)은 데크 쪽 옆 공간에 심었다. 코***에서 주문했던 제피란서스 구근 24개는 앞마당 정원 앞줄에 심고 카라구근 (4개)는 내일 심을 예정이다. 오벨리스크 철제 시렁도 내일 조립해야겠다.

뒷마당 쪽 나무 보온재, 잠복소를 모두 제거했다. 추운 겨울엔 고마운 친구들이었지만, 이제는 자유롭게 숨 쉬는 것을 방해할 수도 있다. 사계장미와 담장에 있는 덩굴장미의 보온재를 제거하면서 죽은 가지를 잘라 냈다. 담장밖의 덩굴장미는 몇 년 동안 잘 자라줘서 여름 내내 붉고 커다란 꽃을 피우고 담장을 붉게 물들여 준다. 아주 고마운 친구다.

달리 정성을 기울이진 않았어도 시간이 흐르며 자신의 진가를 녹녹히 보여주는 마당친구들은 어찌 살아야 함도 보여주는 듯하다. 몸은 뻐근했지만 봄을 여는 준비를 한 것 같아 흐뭇한 하루였다.

아이리스꽃은

멋진 백합꽃은
잘 자라길...

제라늄시호꽃

11

## 2화. 이른 봄 아침 (20230310 금. 올들어 가장 따뜻함 낮 기온 18도)

햇살은 높고 맑고 푸르고 따뜻한 날이었다. 마당쪽 베란다 데크 청소를 했다. 겨우내 (물론 지금도 그렇긴 하지만...) 길냥이들의 놀이터가 되었던 지라 냄새가 많이 베인 듯했다. 호스를 길게 풀어 물을 뿌려 깨끗이 닦아 냈다. 햇살에 잘 마를 것을 생각하며 열심히 청소했다.

텃밭에 물을 주면서 삽으로 비료를 골고루 섞어 주었다. 땅이 확실히 많이 녹았다. 철제 시렁을 두개로 나누어 조립해서 짧은 것은 사계장미 뻗치는 것을 잡아주고 긴 것은 청단풍옆에 심은 으아리 울타리로 만들어 줬다. 새로 들여온 으아리는 싱싱하고 아름답게 잘 자랐으면 좋겠다.

봄을 맞는 아침은 무조건 좋다!

징터에서 장난치는 강냥이

목란싹이 많이 돋아났다.

힘차게 싹 나는 나리꽃

## 3화. 비오는 봄날 (20230312. 일. 꽃샘추위 시작 내일 영하 5도?)

하루종일 비가 내렸다. 데크를 적시는 빗방울은 봄날을 알려오지만, 지난주 18도까지 올라갔던 날씨는 추워졌다. 바람이 제법 불었다. 내일은 영하 5도까지 내려간다고 한다.

어제 수선화가 처음으로 피었는데...

수줍어 고개도 제대로 들지 못한 아이인데...

내일 추위로 얼지나 않을지. 노란 몽우리가 올라온 아이도 둘이나 된다. 수선화는 의지의 날개를 가지지 않았나! 힘차게 이틀의 꽃샘추위를 이겨내기를 빌어 본다.

봄을 기다리는 모두에게 즐거운 일이 한가지라도 일어나는 하루였기를.

## 4화. 단상 (20230314. 화. 어제보다 따뜻한 날, 꽃샘추위 끝난 듯?)

앞 정원 돌담 밑에 많이 피는 동강할미가 여러 개 싹이 올라왔다. 봉오리가 탐스럽다. 미니 장미는 붉게 가지를 물들이고 가시가 제법 뾰족거리며 나와있다.

매발톱 꽃잎이 여기저기서 올라오고 있다. 깜냥이는 건너편 데크에서 햇살아래 일광욕을 즐긴다. 밥을 주니 여기가 제집인양 먹고는 늘어져 있다.

여름엔 걱정되지만 일단은 귀엽다. 사자분수를 사고 싶다. 다음세일 때는... 욕심을 비우려 왔는데, 욕심으로 얼룩지면 되겠나?

안빈낙도(安貧樂道)를 잊지 말라고 강아지들이나 냥이들이 말하는 것 같다.

여유를 즐기는 향냥

애 발톱이
올라온다.

할미꽃

미나리

## 5화. 봄맞이 마당정리 (20230315. 수. 어제보다 더 춥고 바람심함)

아침에 M이 와서 마당을 정리하자고 했다. 날이 따뜻하고 좋아 아이들을 오랜만에 마당에 풀어놓고 앞 데크에 방석을 깔아주고 놀도록 했다. 가스통창고 앞의 잔디를 제거하고 꽃 잔디만 살려 둔 후 에어컨 실외기옆까지 화단을 넓혔다.

잔디는 로망을 가지고 심지만, 마당을 정리하다 보면 끝없이 퍼지는 번식력 때문에 뽑히고 만다. 푸른 초장이 맘을 편히 하고 보기에도 좋지만 진드기 때문에 조심도 해야 한다. 마당에서 뛰어놀 아이들이 셋이나 되니...

수선화는 두송이나 더 피었다. 작약도 어느새 많이 올라왔다. 우리 집 작약은 이상하게 본때 없이 덩치만 크고 꽃도 예쁘지 않은 듯하다. 알뿌리는 엄청 많은 듯한데 올가을에는 뿌리나누기를 해야 할 것 같다.

앞마당이 깨끗해져 참 좋다. 새로 생긴 정원에 모란나무아래 잔뜩 떨어져 있는 씨앗을 옮겨 심어야겠다. 모란씨가 싹을 틔우면 이웃들에게도 나눠줘야겠다.

작년에도 몇 송이 살아서 모종을 나눠줬는데, 아마도 죽은 것 같다. 아무 얘기도 없는 것을 보니...

제대로 열흘보인 수선화

무지번이 올라오는 창아축들

봄장을 즐기는 몽둥이들

# 6화. 돌담아래 (20230317. 금. 날은 풀어졌으나 흐리고 약간 쌀쌀)

담장밑 돌담사이로 흙이 내려와 다듬어줬다. 나뭇잎을 긁고 작은 돌들을 끼워 넣고 흙을 부어 다독여준다. 낙엽을 긁어내다 보니 돌 틈사이에 심었던 에델바이스 촉이 사면으로 경사진 틈 사이 땅에 고개를 내밀고 올라와 있다. 세상에 살아남은 줄도 몰랐건만...

녹슨 동그란 조형물이 있어 옆으로 뉘어 끼워 넣었더니 흙내림을 막을 수 있었다. 돌담 정원에는 여러 가지 다년초들을 심었었고 꽃잔디를 심었는데 꽃잔디는 많이 얼어 죽었고, 다행히도 돌단풍은 여기저기 많이 올라오고 있었다.

앞정원 데크 가까운 돌담을 정리했는데 에델바이스와 모란 씨앗이 움터 나온 것들을 발견한 기쁨!

커다랗고 하얀 꽃송이를 피우는 모란이 세 그루나 있는데 쌓인 낙엽을 치워보니 싹 나온 것이 상당히 많았다. 낙엽에 덮여 추운 겨울도 이겨낸 귀한 생명들이다.

자연에서나 인간사에서나 살아남은 이가 승리한 자다. 살아내면 된다.

아무래도 목단 모종밭을 만들어 옮겨 심어 이웃들에게 나눠줘야겠다.

미처 발아되지 못한 씨앗도 주워 한쪽으로 심고 물을 줬다.

## 7화. 모란 씨앗들 (20230318. 토. 맑고 화창한 날)

오후에 가스통 보관창고와 에어컨 실외기 앞이 엉망이라 맘먹고 풀 뽑기로 한다. 꽃 잔디를 심고 산 모습을 닮은 돌 몇 개를 놓았다. 한쪽으로는 튤립과 수선화가 심겨 있어 옆으로 거름을 뿌리고 모란 씨앗을 심었다.

잘 살아나길 빈다.

모란씨앗은 많아도 너무 많다. 모유수유 모란이니, 아이도 건강하다. 대문 쪽 담장의 줄 장미들을 전정하고 풀을 뽑고 정리했다. 별다른 양분도 주지 않건만 튼튼하고 건실하게 잘 자라고 꽃도 아주 큼직하게 잘 피우는 아이들이다.

올해도 장미가 잘 자라줬으면 좋겠다.

"줄 장미가 둘러싸서 예쁘다며, 우리 장미는 유난히도 붉은색이 아름답다"며 앞집 할머니께서 늘 즐겨 보셨는데...

이사 가셔서 올해는 못 보시는구나...멀리 계신 그곳에서도 할머니께서 올라오는 새순처럼 건강하시길 마음으로 빌어본다.

당께 섬은 호장미에 새순이 많이 올라왔다.

23

# 8화. 꽃 이름도 제대로 모르니… (20230319. 일. 햇살 좋은 날씨)

현관 앞 미산딸나무옆에 나리꽃이 며칠 전부터 꽃대를 올리더니 피었다. 몇 송이가 올라올지도 모르지만 작년에는 주황색 꽃을 피웠던 것 같은데 오늘 보니 보랏빛 꽃이 피었다. 옆에 또 다른 나리는 어떤 색의 꽃을 피우려나…

나는 이때까지 나리꽃 구근 생각만 하고 나리꽃인 줄 알았는데 아무래도 이상해 찾아보니 나리꽃이 아니라 '히야신스 블루스타'였다. 구근류를 다양하게 심어 놓았기에 꽃 올라오기 전에 헷갈리기도 한다. 꽃 이름도 제대로 모르면서 심기만 하는 무식한 초보 정원지기라니…

새로 심은 으아리(클라멘티스)는 햇살 잘 드는 남향이라 그런지 무럭무럭 자란다. 올해 예쁜 으아리꽃을 피워주길 기대해 본다.

오늘은 이웃들과 영월 5일장 구경 가기로 했다. 꽃모종과 상추를 사 올 생각이다. 로즈메리 온실은 아직 완전히 치우진 않았다. 다음 주에는 로즈메리 온실을 벗겨 줄 생각이다.

나리꽃이 피었다 !
( 히아신스 봉우리 였다 )

열심히
올라가는
으아리꽃

## 9화. 모종 심기 (20230320. 월. 맑고 햇살좋은 날씨)

어제 사온 모종들 하얀 미니장미, 분홍미니장미꽃 봉오리가 몇 개씩 달린 아이들을 사 왔다. 앞 정원 찔레 장미옆에 심으니 보기 좋다.

나리꽃도 꽃봉오리 많이 달린 아이들로 하나씩 사 와 옆에 심었다.

어제 보라색꽃을 피운 아이는 나리꽃이 아니었다.

앞 정원은 구근들(지난번에 심은 제피란서스와 카라), 마구 올라오고 있는 수선화(꽃을 피운 아이들이 많다) 그리고 튤립이 많이 심겨 있다.

이제 잡초와 잔디가 올라오면 부지런히 뽑아내고 구근 꽃밭으로 잘 만들어 보자!

오후에 도서관에 공부 가면서 할미꽃을 사 올 예정이다.

돌 정원 쪽의 할미꽃이 올라오고 있으나 햇살 잘 비치는 곳에도 심어 두고 싶다. **농원에서 산 으아리, 햇살 좋은 앞 정원에 심은 것은 아주 많이 컸다.

건너편에 심은 아이는 아직도 미동이다.

햇빛은 식물에게 가장 중요한 친구, 아니 식구인 듯하다.

미니 장미 8,000x2=16,000원, 나리꽃 6,000원

산뜻하게 돋던 히아신스봉우리하가
하우안이 만작 피었다.
(나는 꽃이름을 제대로 몰랐다.
이대로 나거꽃 종류라고 생각.)

깻봇한새 꽃이 돋된듯한
영한 미니 장미.

중이가 싶이 엉금이 있는
나리꽃.

# 10화. 미니 온실 (20230321. 화. 맑은 날, 어제보다 따뜻하다)

오늘 아침은 어제보다 포근한 듯하다. 아직 로즈메리 온실은 저녁이면 씌우고 있다. 4월에는 완전히 제거할 생각이다. 예년의 경우 4월에 갑자기 꽃샘추위가 찾아온 적도 있었다.

노랑목단을 사서 땅에 심었다가 4월 꽃샘추위에 보낸 기억이 있다. 며칠 전에 주문했던 미니온실(2 mX1 m)이 왔다. 장미밭 사이의 작은 텃밭에 놓았다. 일요일 영월장에서 사 온 상추, 로메인 모종을 심었다.

4월 중순에는 텃밭에 여러 가지 채소 모종을 심을 계획이나 그전에 조금씩이라도 가꿔 먹어보려 온실 안에 심었는데 장미밭 사이라 불편한 점도 있다.

'아름다움엔 공짜가 없다' 장미는 가시도 잘 다스릴 줄 알아야 한다.

온실문(지퍼로 되어있다)을 열려면 장미 가시를 조심해야 한다. 그래도 적당한 곳은 여기라 상추를 심은 후에 온실을 설치했다.
'텃밭에 야채가 풍성해질 때까지 잘 자라서 우리 집 식탁을 초록초록하게 해 줬으면 고맙겠어' 상추와 미니온실에게 당부해 본다.

## 11화. 나를 부르는 봄 마당에서 (20230322. 수. 어제보다 따뜻함)

앞 정원 진달래가 꽃을 피운 것도 하나 있고 꽃 몽오리가 진분홍색으로 예쁘게 물들었다.

이 예쁘고 아름다운 색깔을 제대로 표현할 수 없어 너무 아쉽다. 핑크색, 진 분홍색, 붉은색, 연분홍 보라색, 진달래 색은 이때뿐이다.

미니 온실 앞 화단의 풀을 뽑고 팥나무는 뒤쪽으로 옮기고 미스김라일락은 화분에 옮겼다. (향기와 추억으로 기억되는 라일락이지만 번창하는 뿌리는 무서울 정도다.)

수국을 한쪽으로 심고 온실 입구 쪽으로 돌 디딤돌 두 개를 놓고, 사계 장미도 두 그루 옮겨 심었다.

온실 앞 빈 땅에 향기 글라디올러스 두 봉지를 골고루 심어 주었다. 봄이면 하얀 꽃이 만발하고 향기로운 정원이 되라고 한 곳에 심었다.

수돗가 옆 화단에는 튤립을 옮겨 심어주고 돌들도 다시 배치했다.

봄이 되면 마당이 나를 부른다.

담장밖에도 향기 글라디올러스를 심었는데 워낙 건조해 잘 살까 염려된다. 저녁에 비가 좀 온다고 하니... 제발 많이 내리기를 빈다.

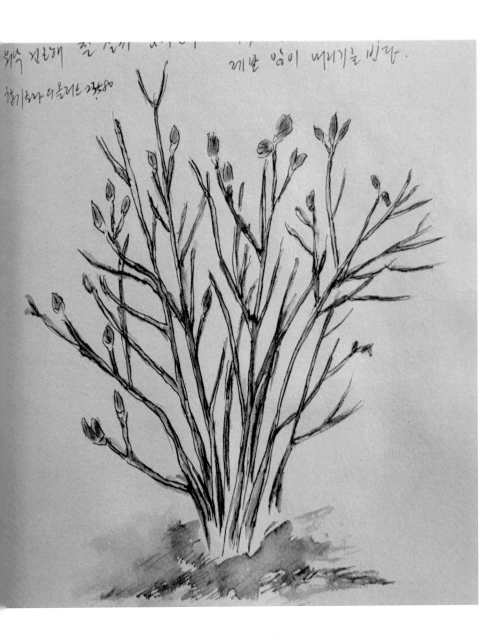

앞 정원의 진달래

## 12화. 봄 비 (20230323. 목. 종일 단비가 내렸던 하루)


하루종일 고마운 봄비가 흠뻑 내렸다.

너무도 반가운 친구, 내리는 봄비는 사랑 비였다.

대지를 녹이며 내리는 사랑비에, 맨발로 젖은 땅을 딛고 선 마당의 모든 초목들은 온 몸을 내던지며 시작될 봄의 향연에 준비라도 하듯 모두가 하나로 물들어 간다.

덩달아 내 마음도 희망의 단비로 촉촉한 하루!

## 13화. 길냥이와 함께 (20230324. 금. 흐린 날, 어제보다 5도 낮다.)

흐린 날씨지만 아침엔 잠깐 해가 떴다.

오후 들어 바람이 많이 분다. 길냥이들은 간식 맛도 들어서인지 점심시간에도 현관문 앞에서 '야옹' 거리고 있었다.

간식 하나로 두 녀석에게 나눠 먹였다.

앞 정원에 아침에는 몰랐는데 분홍 튤립이 꽃 봉오리를 벌리려 한다.

진달래보단 약간 연한 분홍 꽃봉오리가 어린아이의 발그레한 얼굴로 세상을 향해 웃으려 하고 있었다.

봄날은 잠시 시간 흘러도, 잠시만 다른 것 보고 와도 어느새 모습이 달라진다.

금세 자란다.

홍목련은 다음 주면 활짝 필 듯하나, 며칠 가지도 않을 것이다.

# 14화. 부화 준비 미산딸나무 (20230325. 토. 흐리고 바람 셈)

"흔들리지 않고 피는 꽃이 있으랴"

백번 공감할 정도로 봄에는 바람이 더 부는 듯하다.

노랑, 분홍 미산딸나무 두 그루는 잎이 지고 꽃봉오리를 가을부터 맺혀 추운 겨울에도 그 품속에 안고 익혀 가는 것 같다.

오늘 아침엔 어느새 봉오리 속의 알들이 부화되려 하고 있었다.

다음 주엔 부화할까?

알알이 터져 나오면 추웠던 겨울의 서러움도 다 잊어버리리라.

노랑 산딸 나무가 먼저 부화할 것 같다.

바람이 찬 것 같아 미니온실을 열지 않았다. 저녁에 살짝 열어보니 하우스 안에 퇴비 냄새가 그윽하다.

간밤에 상추가 취하진 않았으려나...

그래도 얼어 죽는 것 보다야 낫겠다 싶었다.

엊그제 활짝 피었던 진달래 한송이가 오늘 바람에 꽃잎이 휘둘러졌다.

일 년을 기다렸는데, 바람이 야속하기도 하다.

## 15화. 제라늄, 매발톱, 수국 (20230326. 일. 바람 불고 추운 날)

장에 나가 제라늄 3개와 매발톱 4개 수국 꽃 핀 것 하나 사다. 제라늄은 앞 정원 뒤쪽 벽에 심을 생각이다. 해마다 심었는데 작년 겨울에는 화분으로 옮겨서 현관 안에 들여놨더니 지금까지 꽃피우고 잘 살고 있다.

엊그제는 큰 녀석에게서 몇 가지를 삽목해 놓았다. 처음 해 봤는데 잘 살았으면 좋겠다.

돌 정원 앞에 매발톱밭(?)에는 매발톱이 여러 송이 올라오고 있고 조금 빈 곳에 심었다.

꽃이 핀 녀석들도 막 올라오는 아이들과 잘 어울린다.

수국은 해마다 한 두 분은 사는 것 같은데 이상하게 잘 안 산다. 온실 앞 정리한 화단에 심었다. 올해는 잘 자랄 것 같다. 부엌 쪽 담장 한 귀퉁이 잔디밭쪽에 작년에 심었던 목단 씨앗이 올라왔다.

벽을 둘러 향기 글라디올러스를 심어 볼 생각으로 먼저 조그만 화단을 만들어 목단 올라온 것과 수국 심은 곳에서 패어 낸 향기 글라디올러스 구근 5개를 심었다.

깜냥이 저녁에 캔고기를 섞어 줬더니 골골거리면서 '야옹 냠냠' 거리면서 잘도 먹는다.

나눔의 하루! 너도 맛있는 것도 먹어야지!

만두의 푸딩틀라는 ... 있다.
싫다. 감자를 저녁에 캔쯤료 싹이 했더니 꿀꺽 거리면서
ㅣ아 맛 냠냠, 세상에 냠냠 거리면서
잘도 먹는다. 나름의 하루! 너도
맛있어봐도 먹어봐지!

39

## 16화. 푸성귀가 되어버린 수국꽃 (20230327. 월. 바람세고 춥다)

오늘 영하로 내려간다고 예보했는데도, 왜 어제 수국 보온할 생각을 못했는지...짚으로 둘러 주긴 했는데 아침에 보니 활짝 피었던 꽃 봉오리가 다 얼고 싱싱했던 잎도 얼어 있었다. 푸성귀 냄새가 났다. 제라늄은 두 개 심고 혹 얼까 봐 두 개는 온실에 넣어 놓고는...수국에는 왜 미니온실을 씌워 주지 않았을까? 후회한들 뭐 하나...깜박할 때도 있는 법이다. 그래도 잎과 꽃만 살짝 언 것 같아 다행이다.

마음도 풀 겸, 산림 조합에서 대봉, 단감나무 3개를 사 왔다. 땅파기가 염려되었는데 앞 공원에 두 개를 잘 심고 한 그루를 고민하다 집안에 심기로 했다. 친구 k가 와서 뒷마당에 있는 벚나무가 너무 크다며 패내고 그 자리에 심는 것이 어떠냐고 한다. 그래! 패어 내자!

벚나무는 너무 커져 집안에선 적합치 않다. 공원으로 내보내기에도 힘들다. 작년에 두 그루 옮겨 심은 후에 계속 물을 줘 겨우 살렸다. 잘 살고 있던 벚나무는 날벼락을 맞고 패 내어져 땔감용으로 보냈다. 그 자리에 분갈이용 흙을 더 넣고 감나무를 잘 심었다. 비록 수국은 며칠 꽃도 못 보고 얼었지만, 대신 감나무를 싸게 구입해서 심은 하루였다.

얻는 게 있으면 잃는 것도 있고 잃으면 또 얻게 되어 있다. 그게 자연 아닌가? 자연 속에 주는 삶이 가르쳐 주는 교훈이다.

벗의 품에 안겨 낮잠 자는 승리의 모습이 너무 귀엽다.

하늘도 푸르고 햇살을 따뜻한 3월의 하루!

"엄마 함께 편히 쉴수 있는 곳이면 족해서.."

41

## 17화. 강아지는 사랑 (20230328. 화. 햇살은 따뜻, 약간 쌀쌀한 날씨)

마당에 물 주고 오후엔 샐리와 보리 데리고 산책을 나갔다.

"우리 집 강아지는 사랑"

데크 길을 따라 강길을 걷고 돌아오는 길에 잠시 쉬다.

꽃망울들이 볼록 볼록하다. 뭐가 부끄러운지 분홍얼굴에 몸까지 달아올랐다.

4월이면 앞뒤 돌아볼 새도 없이 여기 저기서 아우성 털듯이 터질 것이다.

"같은 곳을 바라보며 함께 가는 그대는 사랑입니다."

43

## 18화. 사고치는 깜냥이 (20230329. 수. 아침 선선, 오후엔 햇살 가득)

어제 친구가 가져다준 팬지꽃을 현관 입구 화분에 심은 후 마당에 풀을 뽑았다. 다음 주엔 제비꽃을 뽑아내야겠다. 군데군데 너무 많다. 제비꽃이 예쁘긴 하지만 역시 너무 쉽게 퍼진다.

우려했던 일이 벌어졌다.

깜냥이가 화단사이로 다니면서 막 올라오는 꽃대를 망가뜨린 것이다. 엊그제는 모란 모종 두 그루 사이에 버젓이 드러누워 있는 것을 쫓아냈다. 녀석이 나간 후 모란대 하나가 부러져 있었다.

뿌리가 있으니 새로 나올 것이라 믿지만 꽃대를 밟고 다니는 건 문제다.

걱정이다.

그러면서도 사료를 주문했다.

앞쪽 화단에서 막 올라오는 구근(제피란서스?) 촉도 부러뜨리고 다녔다.

어째야 하나!

제피란서는 한 촉이 부러져 있다.

부러진 어린 목단

신비스레 아름다운 제비꽃이 지면...

## 19화. 해님 만나러 나온 초록 아이들 (20230330. 목. 따뜻한 날)

대문옆 구석 앵두나무가 나도 모르게 꽃봉오리를 터트렸다. 아직은 많이 피지 않았으나 올해도 자잘한 앵두는 많이 달릴 것 같다.

부지런한 벌들은 벌써 열심히 일하고 있다.

앵두나무아래 원추리 속의 싹들이 열심히 올라오고 있다.

범부채꽃은 섬세하게 예쁘다.

그중 흰색 꽃을 피우는 아이가 있는데 향기가 아주 은은하고 좋다.

향기의 여왕이라는 백합이 부럽잖다.

올해는 꽃이 피면 찾아 이름을 꼭 기록하리라.

텃밭 쪽에도 제비꽃이 허락도 없이 곳곳에 만개해 있다. 예쁘기는 해도 번지는 속도는 감당 못한다. 아침에 뽑아 버렸다.

단풍나무옆에 심었던 으아리(3월 8일 심음)를 햇살 잘 드는 담벼락 아래로 옮겼다.

현관 앞 화단에 심은 아이는 날아갈 만큼 컸다. 같이 입양한 아이라고 도무지 비교할 수도 없을 만큼 말이다.

무슨 까닭일까?

아무래도 하루종일 해님을 만나는 곳이 좋은가 보다.

## 20화. 박태기나무와 부러진 상추대 (20230331. 금. 화창한 날)

소나무 화단의 잔디 퍼진 것 다 패어내고, 튤립을 깨끗이 심었다. 온실 앞에 있던 모란 작은 것 두 개 옮겨 심었다. 어제 옮긴 으아리는 하루사이 부쩍 자란 것 같다.

잔디는 어디로든 퍼져 나간다. 그래서 더 뽑히는지 모른다.

박태기나무 꽃은 금방이라도 터질 것처럼 꽃물로 물들인 새색시 분홍 얼굴이다. 이토록 고운, 화려한 색은 이때뿐이다. 화폭에 옮기지 못하는 아쉬움이 너무 크다. 수성색연필 색이 모자란다!

그저 마음의 색으로 입힐 뿐이다.

현관 화단 쪽의 백합은 한 뼘 이상 쑥 큰 것 같다.

상추 온실 안에서 깜냥이가 드러누워 있다가 나를 보고 나가려고 용을 쓰다 상추대 몇 개를 해 먹었다.

결국 사고만 치는 녀석…그래도 밥 달라고 등비 비면서 달려든다. 어찌 모른 채 할 수 있겠나…

봄이다. 온갖 순수의 색이 무채색의 마당에서 제 잘난 바를 뽐내고 있다.

지금이다. 지금 뿐이다.

초목들은 진실로 즐길 줄 아는 생명들이다.

들비비면서 펼쳐논다. 이제 온누체 걸 수 있었나...

봄이다. 온갖 능누의 색이

우체색의 마당에서 제 자란 바를

한껏 뽐내고 있다. 지금이다.

지금뿐이다. 초목들은 진심로

즐겨춤추는 생명들이다.

꽃망울 하나 하나 붉은 밤툴때기

이 어여쁜 분홍빛을 색을 표현하며 못하는 미술관이 부끄러울뿐...

## 21화. 홍목련과 벚꽃나무 (20230402. 일. 바람부나 햇살은 좋은 날)

뒷마당에 한 달 내내 꽃 봉오리를 품고 있던 자목련이 활짝 피었다.

자목련은 꽃봉오리를 품고 몇 줄을 지내다 보니 피면서 이미 시든 꽃잎이 있을 정도다.

나이가 여덟 살이 되어 가는데 키는 많이 크지 않았어도 제법 실하다.

작년보다 많은 꽃을 피우긴 했다.

산아래 마을엔 벚꽃이 절정이다.

강을 따라 둘러싼 아름드리 벚꽃나무...

눈부시게 하얀 꽃송이들이 주렁주렁 달렸다.

겹벚꽃인 듯하다. 이번주에 비가 오면 떨어질 텐데...

이틀 전에도 제대로 핀 것 같지 않았는데, 어제오늘 일 내고 말았다.

~ 한 송이 홍목련과 홍목련 나무, 꿈나라로 이끌어 주는 분홍레트카펫이 펼쳐진 데크길 ~

## 22화. 나리꽃과 미산딸나무 (20230404. 화. 포근한 날)

현관 앞 화단을 정리했다. 새로 심은 으아리(클라멘티스)가 하루가 다르게 올라간다. 한편에 나리꽃은 노랑꽃을 활짝 피웠다.

코***에서 피라미드형 덩굴시렁 세일해서 주문했다. 길이 1미터 90센티짜리를 놓으려 이전에 있었던 마당 선반 조형물을 앞 데크 쪽으로 옮겨 철쭉 분재를 놓는 곳으로 했다.

여름이면 꽃 화분들을 걸어 둬도 괜찮을 것 같았다. 으아리는 붉은 미산딸나무뒤에 심긴 것이라 햇살 잘 드는 남향이고 잘 자라고 있다.

시렁을 놓아두면 예쁜 꽃을 많이 볼 수 있을 것 같아 기대된다. 정성을 들이면 들일수록 표가 나지만 끝도 없이 정성을 요구하는 것이 사람이나 여느 생명이나 같다.

현관 앞 미산딸나무는 곧 알이 터질 것 같다. 미 산딸나무는 나를 몇 번이나 놀라게 한다.

먼저는 봄이 오기도 전, 겨울 그 추운 때에 이미 꽃 봉오리를 잉태하고 있는 것이고 (겨울을 임신한 상태로 난다고 할까...) 두 번째는 꽃을 피우기 위해 잎태반을 벌린다. 잎이 벌어진 모습이 결국 꽃이지만 발그란 것이 더 예쁘다.

여느 꽃잎과 다르게 아이를 감싸 안은 태반은 저 자신이 꽃잎이 되어 한참 동안 붉게 잎 인양 꽃 인양 피어오른다.

야생 내게 꽃이 탐죽이왔다..#

## 23화. 봄비, 사랑비 (20230405. 수. 종일 봄비)

기다리던 비가 하루종일 조곤조곤 내려앉았다.

간밤에 바람이 많이 불었다. 튤립과 수선화 몇 송이의 목대가 부러졌다.

피지도 못하고 이별을 고했다.

돌아보니 금낭화가 어느새 붉은 입술을 떨고 있고 노랑목련은 일 년을 기다려 비 오는 오늘에야 화들짝 피었다.

아쉬움이 있으나 이 비는 생명의 비라 목련은 즐겨 받아들이는 것 같다.

아쉬워 말아라

봄비는 가는 것이 아니라 오는 것이다.

함께 하자고 생기를 불어넣는 것이다.

봄비는 생명이고 기쁨이다.

주룩주룩 사랑 내리는 사랑비다.

한 해 견딜 힘을 함께 내리는 은혜다.

## 24화. 길냥이 삼남매 (20230406. 목. 맑고 따뜻한 날)

아침 창문을 여니 길냥이 삼 남매가 "안뇽 ~ 야옹" 인사를 하고 있다.

비가 와서 데크 위에 야채 화분을 올려 줬더니 그 속에서 깜냥이가 잤나 보다.

깜냥이와 삼색이는 야채 화분 통 안에 있고 콧선생은 옆에 있다.

밥 달라고 눈을 마주치고 있다.

이렇게 예의 바르게 인사까지하니…

어찌 내쫓겠는가?

"밥 먹고 나가서 놀고 나가서 살아라 ~~

우리 집에선 밥만 먹고 가거라 ~~'

턱도 없다는 듯

나를 쳐다보는 삼냥이들과 하루를 열어 간다.

# 25화. 삼냥이의 노래

정원그림일기 25화를 보시고 애독해 주시는 작가님(램즈이어 작가님)께서 멋진 시를 올려 주셨습니다. 너무 고맙기도 했고 예쁜 시라 작가님께 글을 올려도 되겠느냐고 여쭸더니 흔쾌히 승낙을 해 주셔서 스페셜 에디션으로 올립니다.

삼냥이 스케치는 비 오는 오늘, 데크 위에서 저녁 먹고 노는 모습을 포착했습니다. 깜냥이가 삼색이 어깨를 살포시 보듬은 모습이 인상적이었습니다. 정착하지 않는 삶을 사는 길냥이에게서 이토록 여유롭고 따뜻하고 다정한 모습을 볼 수 있어 행복했습니다.

# 삼냥이의 노래

집에선 밥만 먹고
나가서 놀고
나가서 살아 ~ 하시고
사람들에게 우릴 길냥이라고 소개하지만
깜냥이 삼색이 콧선생이라
이름 지어 주신 분
야옹~
우리의 언어를 들으시고
아들에게처럼 사랑스러운 눈빛 주신다.

비 오는 날엔
야채화분 살짝 두어
달콤한 잠 챙겨 주셨지
오늘은
멋진 스케치로
그림일기 주인공
브런치 마을 귀염둥이 만드셨네
우린
그분을 어떻게
불러야 할까?

## 26화. 예쁜 차양막 (20230407. 금. 쌀쌀한 날)

하늘은 청명하다. 주말엔 추워진다는 예보대로 날씨가 차가워졌다.

마당 가꾸고 살면 돈도 많이 든다. 어쩌면 투자한 만큼 아름다워지기 때문이다. 물질적이던 노동력으로든, 관심은 대지에도 아름다움이 자라게 한다.

전 주에 새로 설치한 차양막이 아주 예쁘다. 거금(?)을 들였지만 세일해서 잘 샀다. 가족들과도 즐거운 시간을 보내고 지인들이 오면 담소하기에도 아름답다.

낮에 제라늄 삽목을 했다. 다**이소에서 사 온 천 원짜리 화분, 굿이다.

삽목분 세 개 만들고 현관옆에 있던 간이 텃밭(삼나무로 만들었다는...)을 미니온실 안에 넣고 실험적으로 상추 묘목을 심었다. 현관 앞에는 원목 보관함을 두기 위해 정리했다.

박태기나무가 꽃을 활짝 피웠다. 색이 너무 예쁘다.

배꽃도 절정이다.

우리 집 배나무는 이때 피는 한 철 꽃을 위해 사는 아이다.

## 27화. 고선생과 원목 보관함 (20230408. 토. 바람불고 좋은 날)

고양이 선생(이하 고선생)처럼 편하게 삶을 관조하고 살면 좋겠다. 아침 먹고 나가지도 않고 데크에 드러누워 나를 응시하고 있다.

"엄마 수고가 너무 많네... 그렇게 열심히 가꾸면 기분이 좋아?"
"나는 아무것도, 걸친 것도 없지만 배부르고 등따땃하니 기분 짱이요..."
"그래 네가 잘 사는 묘생이다. 요즘은 베짱이 게으르다고 욕하는 시대가 아니거든..."

오후에 원목 보관함이 왔다. 정원 살림살이도 많이 구입했다. 마당에 돈 더 들이면 안 되는데...그래도 손 간 것만큼 표 나고 흡족하기도 하다.
상판 위에 철쭉 분재와 제라늄을 올려 두니 예쁘다. 그런데 현관문을 열고 나가니 고선생들이 퍼져 누워있다. 저희들 평상으로 생각하고 있었나?

세상사 깊이 생각할 필요가,

너무 심취할 필요가 없다고 말씀하신다.

## 28화. 강아지들과의 산책 (2023.04.09. 일 햇살좋고 포근한 날)

모처럼 지인들과 함께 산책을 나갔다. 강아지 다섯 마리와 함께 개모차 두 대 끌고...봉이와 페퍼를 위해서였다.

페퍼는 장모 닥스훈트종이다(몸무게가 많이 나가 줄여야 한다.

봉이는 몰티즈로 몇 달 새 1.5kg 정도를 감량해서 4.3kg이다. 굿!

승리(치와와 2kg), 보리(요크셔테리아 3.5kg), 샐리(푸들 3.5kg) 아이들이 아직은 적당한 몸무게라 생각하지만 노견들이라 신경을 써야 한다.

샐리가 약간 설사를 해 컨디션이 안 좋은데도 얼마나 좋아하고 쉬지 않고 걷는지, 기특했다

우리 여덟은 한 시간 반 동안 벚꽃 진 길,

그 속에서도 단풍나무 새 잎이 파릇파릇 올라오고

산 벚꽃나무는 아직도 분홍꽃을 펼치고 있는 강이 흘러가는 예쁜 봄날 봄길을 마음껏 즐겼다.

어디랴 ~~ 이런 호사를 누릴 데가 ~~

행복하고 평화로운 하루였다.

많이 가지지 않았어도 함께 할 사랑하는 것들이 있다는 것이 행복한 삶 아닐까...

## 29화. 낙화유수, 홍목련 (20230412. 수. 햇살좋고, 미세먼지는 최악)

낙화유수(落花流水) 화무십일홍(花無十日紅)이라 했던가? 크고 화려한 붉은 홍목련은 꽃낙엽이 되어 떨어지고 일부분만 매달려있다.

일 년을 기다리고 버티어 와서 피워냈던 꽃 뭉치들이 바람에 날리는 추한 모양새로 종말을 보이고 있다.

자연과 더불어 살면 겸손해질 수밖에 없다고 함을 홍목련을 볼 때마다 더 느끼며 스스로를 다시 돌아보게 된다.

그래도 홍목련은 말한다.

"후회 없이 살았다고... 짧은 시간 여행 즐겼다고...

그리고 푸르른 잎들이 내 자리를 대신하지 않느냐고..."

그래 ~ 목련만 같이 살자!

철쭉 분재 작은 것 세 개(녹산, 조앵, 흑태양) 도착해 앞 정원에 심었다.

분재분에 사는 것보단 마당에서 어울리며 사는 것이

훨씬 낫지 않겠는가...

바당에 심은
은ᄋ로 철쭉 분재 (초앵)

4앤2일 할적히 그린
떠나가는
홍(紅) 묵면

## 30화. 온실 속 로즈메리 (20230413. 목. 미세먼지 심한 날)

미세먼지가 오늘도 기승을 부린다. 오늘까지는 밤으로 약간 차다 해서 (1~5도) 앞 정원의 로즈메리, 밤에는 온실을 씌우고 있다.

이 로즈메리는 몇 해전에 사 온 것인데, 함께 샀던 더 잘 생긴 로즈메리 외목대는 크고 우람했음에도 한번 누레지더니 그대로 떠났다. 이 아이는 그것보단 약간 부실했는데 그냥 땅에 심었더니 의외로 잘 커 주었다.

인생이 예측할 수 없는 것처럼 기대하지 않은 아이가 잘 컸다.

겨울이 염려되었지만, 짚으로 둘러 준 후 미니 온실을 씌워 두니 몇 해 겨울도 거뜬히 견뎌왔고 작년 추운 겨울에도 잘 살아 준 고마운 아이다.

어느 녀석이 어떻게 자랄지는 첫 모습으로는 판단할 수 없다.

매사 그렇지 않은가?

겪어봐야 아는 것이다.

그래야 재미도 있고...

깜냥이는 데크에서 낮잠을 즐긴다.

뻔뻔하기는 이루 말할 수 없으나 내가 길들이고 말았으니 내 책임도 크다. 이 아이는 나에게 '네가 이리 만들었으니 책임져...' 하는지도 모른다.

그런데 요새 가끔 이상한 선물을 물어와 걱정이다.

## 31화. 허브와 금낭화 (20230415. 토. 오후 비, 포근한 날)

라벤더와 루꼴라, 바질 주문한 것이 왔다. 라벤더는 내겐 프로방스, 가보고 싶은 살고 싶은 프로방스의 상징이다. 라벤더향도 꽃도 (색깔) 좋아해, 심기는 자주 심었으나 살리질 못했다. 10cm 미니 화분에 담긴 아이들, 라벤더 세 개는 수돗가 옆 화단에 심었다. 루꼴라와 바질은 각각 온실에 심어 허브차로나 야채로 키워 먹기로 한다.

돌담아래의 금낭화는 한껏 이쁘게 꽃을 피워 놓았다. 잘 살까 싶었던 금낭화! 몇 해 전에 분에 있던 것을 구입했었는데 시들시들해 땅에 옮겨 심었더니 아주 커다란 모습으로 성장했다. 흙이 보약이었다.

어느새 옆에서도 자라고 커다란 아이들이 세그루나 된다. 자리 잡으면서 번식력도 강해졌나 보다. 비에 젖은 금낭화의 모습이 청초하고 영롱하다. 지줏대로 흐트러진 잎을 잡아준다. 잘 살다, 가고 싶을 때 잘 가기를 바란다.

맛있게 익은 김장김치를 쫑쫑 썰어 김치전 만들어 주말을 즐겨야겠다. 오늘처럼 비 오는 날엔 가족들과 맛있는 음식 먹고 한가롭게 비구경하는 것도 나쁘지 않다.

봄비는 약 비고, 특히 이 비는 황사를 씻겨줄 테니. 그런데 아쉽게도 일기 예보에는 비 그치면 또 심한 황사가 온다고 한다.

그래, 그건 그때 가서 걱정할 일이다. 오늘을 즐기자. Carpe diem!

## 32화. 바라보며 쉬어가기 (20230414. 금. 황사 줄어 산책 가능)

황사가 심했던 이틀 동안 손가락으로 마당의자를 닦으면 누런 먼지가 묻어날 정도였다. 의자와 테이블을 물로 깨끗이 씻어 낸다. 날씨가 화창해져 피어나는 꽃들을 앉아서 감상하고 싶었다.

예쁘게 가꾸는데 욕심이 생겨 보이는 대로 풀 뽑고 정리하고 아름다운 것으로 옮기다 보니, 정원 보고 즐기는 시간보다, 가꾸는데 시간이 더 드는 것 같은 아쉬움이 들었다.

앉아 있으면 '멍'한 쉼보다는 ' 아! 이렇게 ~ 저렇게 ~' 또 다른 변화 생각이 드니 이제 적당히 해야겠다 싶다.

이웃들 마당 보면 더 깨끗하고 풀 하나도 없다.

고백하건대, 사실 집 바깥 부엌 쪽 벽 아래는 질경이와 민들레가 테두리 군락을 이룰 정도로 많다. 뽑는다고 뽑았는데도 해마다 나온다. 잔디를 깔았지만 처마밑이라 물도 떨어지고 잡초들이 군락을 이루고 있어 적당한 돌 같은 것으로 덮어버릴 계획도 하고 있다.

데크 위에서 작은 산딸나무를 아래로 보고 찍었다. 돌담 쪽 구석에 있던 아이를 작년 봄, 햇살 잘 드는 데크 쪽으로 옮겼더니 근 오 년 만에 꽃을 피웠다.

산딸나무가 이렇게 예쁠 줄은 미처 몰랐다. 작은 나무임에도 위에서 내려다보며 찍으니 두 팔 벌린 모습이 부쩍 커 보인다.

나무도 꽃도 심지어 풀까지도, 제게 맞는, 제가 좋아하는 여건에선 최대한의 역량을 발휘하는 것 같다.

하물며 사람에게야...

누구에게라도 좋은 기운을 나눠 줄 수 있는 사람이 되고 싶은 하루였다.

# 33화. 철쭉과 영산홍 (20230416. 일. 가끔 비. 미세먼지 심각)

4월 12일 심었던 철쭉 분재 흑태양이 두어 송이 꽃을 피웠다. 짙은 붉은 색이다. 붉은 색이 검정느낌도 들어 흑태양이라 명명되었나 보다.

작년엔가 철쭉 분재원 구경 가보니 여러 종류의 철쭉이 있었고 각양각 색의 철쭉 분재도 많았다. 어찌 저러고 살까 싶을 생각이 들 정도였다. 해 마다 영산홍과 철쭉도 제법 심은 것 같았는데 많이 죽은 것 같다.

봄소식을 화려하게 알려주던 친구였는데...

오늘 시내 나갔다가 농원에 들러 커다란 화분에 심겨진 철쭉나무 한그 루를 보고 첫눈에 반해 그만 집으로 데려오고 말았다.

화분에 심긴 채로 두고 볼 요량으로 데려왔다. 꽃은 거의 피었고 피지 못한 아이는 얼마 안 된다.

떠나가는 봄이 아쉬웠나, 봄에게 수고로움을... 작별을 고하기 싫어, 봄 색깔로 옷 입은 아이를 데려왔다.

철쭉과 영산홍과 진달래, 봄 트리오!

그중 철쭉은 무난하고 평범하지만 온 산을 뒤덮는 어려움도 마다하지 않는 수더분한 우리 아낙네가 아닌가!

이 산 저 산 철쭉제가 증명하고 있다.

75

## 34화. 잊지 않고 올라오는 아이들 (20230417. 월. 미세먼지 줄음)

모처럼 미세먼지가 걷혀 보리 샐리와 산책을 했다. 마을 뒷산길을 내려가 강가로 이어진 데크길을 걸었다.

벚꽃은 모두 떨어지고 떨어진 잔재들은 이리저리 흩날리며 아이들의 발에 짓밟힌다. 단풍나무는 어느새 여린 잎을 푸르고 붉게 내밀어서 존재감을 알리며 데크길을 아름답게 하고 있다. 이대로 가다간 신록의 계절이 오월이 아니라 사월이 될지도 모르겠다.

마당의 식물들만 봐도 계절이 점점 아열대성 기후로 간다는 느낌을 지우기 어렵다.

작은 변화라도 이끌어야 되지 않나 싶다. 비닐 사용부터 줄여야겠다.

아이들은 꽃 정원을 바라보며 쉬라고 의자에 앉혀준다. 피곤한지 늘어진다. 꽃을 보며 즐기는 것인지 지그시 눈을 감고 쉰다.

매발톱 밭 쪽에 붉게 올라온 아이, 인터넷으로 찾아보니 "앵초"다. 다년생 꽃들 더러 심었는데 잊지 않고 봄이면 올라오는 아이들이 많다. 여러 해 전에 씨앗을 얻어 여기저기 뿌렸던 둥굴레와 더덕은 해마다 잊지 않고 살아 찾아준다.

둥굴레는 꽃이 예쁘고 더덕은 향이 진하다.

둥굴레나 더덕처럼 소박하게 살면서도 좋은 열매(뿌리 열매)를 나눌 수 있는 삶이면 좋겠다.

나에게선 어떤 향이 풍길까...

꽃밭을 떠나며 뒤로 물러서는 —

수줍은 앵초

## 35화. 나리와 백리향 (20230418. 화. 종일 비)

비가 와서 풀이 불쑥불쑥 더 자라는 것 같다.

물론 꽃도 피려 노력하지만...철쭉은 봉오리를 머금고, 나리꽃도 시든다. 햇살이 잘 드는 앞정원 쪽 튤립은 모두 시들어 잎이 떨어지고 돌담 쪽 튤립은 피기 시작하나 시원찮다. 촘촘히 심어져 올해는 구근갈이를 해야 하겠다.

예전 살던 곳에서 샀던 이름 모르는 꽃나무, 화분에 있던 것을 땅에 옮겨 심어 해마다 꽃을 봤었다. 수국 비슷하게 하얀 송이 꽃을 피우는 아이였다. 올해는 커다란 꽃송이가 딱 한송이 달렸는데 그것마저 피지 않고 시들었다. 자세히 보니 잎에 구멍도 나고 이상하게 말라있다. 친구가 잘라야겠다 해서 결심하고 과감하게 잘랐는데(큰 가지 셋) 세상에 버리려 보니 잎 뒤쪽으로 벌레가 많이 있었다. 이렇게 벌레가 많았다니... 꽃을 피우지 못할 때 진작 자세히 봐야 했었는데 미안한 생각도 두었다.

생명을 돌보는 데는 더 세심해야 한다. 움직이는 것이든... 움직이지 못하는 것이든...잘 살아날 수 있을까?

이젠 제 몫이다. 내 할 일은 두고 보는 것뿐이다.

앵초옆의 백리향은 몇 년째 고고하게 예쁜 꽃을 올리고 있다. 딱 한 송이 심었는데, 매년 조금씩 커지고 있는 듯하다. 일년에 한 번씩 만나자는 약속이나 한 듯이 봄이면 찾아오는 모습이 고맙다.

## 36화. 활짝 웃은 첫 모란꽃 (20230419. 수. 미세먼지, 따뜻)

앞마당 정원의 철쭉 분재 꽃이 많이 피어 앉아 구경할 만하다. 구경? 감상하다 보면 정리할 곳이 또 보인다. 부엌 담벼락 쪽에 질경이 밭이 생길 정도로 질경이가 많다.

한 시간 작정하고 질경이를 뜯어내고 미니 온실 옆에 수북한 크로바를 파 냈다. 크로바 군락을 패 내고 새로 생긴 땅에 돌담 쪽 떨어져 있는 모란 씨앗과 모종 올라온 것을 골라 심는다. 모란 밭을 만들어 공원 쪽에도 심어야겠다.

오후에 보니 소담스럽게 모란 두 송이 올라온 것 중 한 녀석이 커다랗게 꽃을 피웠다. 모란도 함박꽃이라 해도 되겠다.

하얗고 커다란 얼굴로 활짝 웃고 있다. 해마다 모란이 필 때면 흥얼거리게 되는 우리 노래...

'모란 꽃 피는 유월이 오면 ~~' 예전보다 얼마나 일찍 피었는가 말이다.

4월 말에 모란이 피다니, 기후변화의 심각성, 점점 이상기후로 간다는 것을 마당 생활하면서 더 실감한다.

아름답게 울려 퍼지는 노래속에 변해가는 세상에 대한 염려도 진해진다.

4.19. 올해 첫 목단꽃이 피었다.
초록빛 사이에서 하얀 얼굴을 내밀고 있다

81

## 37화. 고양이 화분 (20230420. 목. 흐리고 맑고 따뜻한 날)

돌담 쪽에 표안나게 숨어있던 영산홍 세 그루를 파내어 데크 쪽 소나무 옆으로 옮겼다. 가지가 말라죽은 나무 같은데 신기하게도 마른 가지 사이로 초록잎이 나온 것도 있다.

옮긴 곳에서 잘 살 수 있기를!

깜냥이 녀석은 날이 흐려서 인지 채소화분 속에 들어가 쉰다. 깜냥이 혼자였는데 나와보니 삼색이와 같이 사이좋게 들어가 자고 있었다.

하루 먹이 걱정하며 살아야 할 노숙자신세이면서도 친구와 사이좋게 지내는 것을 보면 사람이 자연과 더불어 사는 모든 생물들에게도 배워야 할 점들이 많다 싶다.

채소화분에는 채소만 자라는 것이 아니구나...

고양이들도 사이좋게 자라는 곳이다.

피기 전의 커다란 모란꽃 봉오리는 튼실한 용사 같다.

앞으로 호위받고 세상을 향해 검을 펼치기 전 모습이...

실컷 자라 '죽죽이' 하는 장난이

# 38화. 채소 모종 심던 날 (20230421. 금. 바람 불지만 따뜻했다.)

장날이라 모종을 사러 나갔다. 토마토 (찰토마토, 흑토마토, 방울토마토 붉은 것, 노란 것 등) 가지 6개 오이 5개 깻잎 5개 치커리, 로메인, 겨자 등 채소 모종을 샀다. 호박은 넝쿨이 많이 뻗쳐 심지 않는다. 상추를 깜박했다. 지금 미니 온실에서 풍성히 자라고 있으니 나중에 추가해도 될 것 같다.

골을 만들어 놓아 그냥 심기만 했다. 풀자람이 방지될까 싶어 시범적으로 큰 밭쪽에는 검은 비닐을 덮어 달라고 했다.

오후에 울타리 장미를 정리 허는데 세상에, 진딧물이 많아도 너무 많이 꼈다. 꽃봉오리 맺힌 곳마다 바글바글했다.

이렇게 진딧물이 많이 꼬인 것은 처음인 것 같다. 작년에 진딧물 약 사 둔 것 기억이 나 바람이 불지만 분사기에 넣고 뿌렸다. 온몸이 근질근질할 정도로 진딧물이 아른거려 참을 수가 없었다. 이래서 장미를 기피하는 사람들이 많나 보다.

과일도 예쁘고 튼실한 것은 약을 친 것일지 모른다는 얘기가 있다. 사실 우리 살구나무에선 살구가 달려도 제대로 먹어 본 적이 없다. 감을 제외하곤 과일나무에서(과일나무도 없지만...) 과일을 먹어 본 적은 거의 없다.

살리기 위해 약을 쳐 줘야 하는 병충해로 오염된 세상, 화초에도 약을 쳐야 하는 서글픈 사실, 장미를 많이 키우는 것은 힘들겠다.

그래도 최소한의 약을 주고라도 진딧물에서 구제해야 한다. 천연 진딧
물 방제제를 찾아봐야겠다. 집안의 사계장미도 보니 진딧물이 보인다. 남
은 것으로 쳐줘야겠다.

장미여! 잘 자라야 한다! 진딧물에게 지면 안 된다.

이겨 내야 한다.

## 39화. 으~ 아리 꽃 (20230422. 토. 황사가 심하나 푹한 날)

아침부터 황사가 심했다. 환기시키기가 겁 날 정도였다. 그래도 내일은 괜찮아진다니 다행이다. 어제 심은 채소 중 가지가 몇 개 고개 숙이고 있어 나무젓가락으로 받쳐 주었다. 채소는 금방 일어날 것이다.

담장 쪽에 심은 으아리는 꽃대를 제법 올리고 커가지만, 으라리 비슷한 (아마도 서양 클레마티스 종류인 듯한데) 가지를 무한정으로 뻗친다. 담장을 넘어서 꽃도 많이 맺혔고 장미가지와 잘 어울린다. 으라리처럼 화려하고 예쁜 꽃은 아니지만, 워낙 많으니 활짝 피면 예쁠 것이다. 이 꽃 때문에 으아리의 기세가 꺾인 듯하다.

이름은 '으~~ 아리'인데...올해 산 으아리는 (현관 쪽에 심은 것) 무럭무럭 자라 꽃 봉오리를 제법 맺었다. 피기 시작하면 예쁠 것이다.

담장 쪽 대문옆 마가렛 밭(마가렛이 워낙 많이 피어 이름을 붙여 주었다)에는 마가렛이 피려고 준비 중이다. 많이 뽑아내기도 했지만, 모여 있는 것이 예뻐서 헌 쪽에 아예 터를 만들어 줬다. 하지만 너무 번지길 잘해서 잔디 사이에도 자리 잡곤 한다. 터 잡고 뿌리내린 아이들도 때론 뽑아내야 한다. 그게 마당 섭리다.

오늘 보니 삼색이 배가 부른듯했다. 아직 한 살도 안 된 아이인데...

길냥이의 운명인가? 너무 불쌍하다.

데크 위에 늘어져 누워있는데 약간 이상해 보였다

## 40화. 장미철쭉과 마가렛 (20230424. 월. 센 바람에 뿌연 하늘)

아침바람이 거세다. 수국도 옮겨 심고 으아리 옮겨 심어야 하는데...

바람 분다고 못할 일인가? 앞정원 쪽 벽돌담에 심었던 남천 두 그루를 파내어 부엌 담 밑으로 옮겨 심고 그 자리에 으아리팬스를 놓고 보라색 나는 으아리(시장에서 사 왔다)를 심었다. 요새 정원에 심은 꽃과 도구들을 사는데 모두 투자되는 것 같다. 심어도 표도 안나는...

'그래! 즐거운 취미인데...

나뿐만 아니라 보는 사람 모두를 즐겁게 해 주는데 뭐~'

스스로를 다독이지만, 올봄은 머니(money)가 마니(많이) 들어간 것도 사실이다. 옮기고 나서 보니 이제야 제대로 자리를 잡았다는 생각이 든다. 햇살이 잘 들고 바람도 막아줘 으아리가 걱정 없이 잘 커갈 것 같다.

옆에 있는 장미 철쭉 한그루에서 세 송이 꽃을 피웠다. 기특하기도 하다. 여러 번 옮겨 심었는데 죽지도 않았고 장미 닮은 꽃을 예쁘게 피운다. 향기가 어떤지는 맡아보지 못했다. 향기를 확인하리라. 진딧물 약은 남은 것까지 세 번 정도 뿌렸는데 아직도 있는 부분이 있었다.

마가렛 밭은 풍성하게 자란다. 마당엔 여름 마가렛 밭, 가을 메라골드 밭이 있다. 물론 밭이라기엔 내 표현에 불과하지만...

몇 해 전 두어 뿌리 얻어 심은 마가렛은 5월이면 지천을 이루고 메리골드는 향도 좋고 뱀도 안 올라온다 해서 (지레 염려하고 있다) 심었는데 얘들도 번식력이 상상초월이다.

메리골드도 많이 뽑아냈지만 여전히 건재하고, 마가렛은 꽃이 지면 씨 번지기 전에 뽑아내려 노력하는 중이다. 그래도 두 아이 모두 자연을 생각게 하는 아름다운 꽃이다.

이제 라벤더 잎이 흩날리면 나의 작은 정원은 프로방스가 될 것이다.

## 41화. 다시 살아난 수국 (20230425. 화. 종일 비 내린 쌀쌀한 날)

모처럼 내리는 비를 바라보는 마음도 차분하다. 데크 위로 통통 튀어 오르는 물방울들이 자연 오케스트라가 연주하는 음악을 들려준다. 모두들 바쁘게 움직이는 시간에 조용히, 멍 때릴 수 있는 순간을 누릴 수 있음에 감사한다. 물론 해야 할 일들이 산적해 있지만...

마당을 둘러보니 비 오는 날이면 나보다 더 바쁜 것이 초목들이다. 내리는 비를 거부하지 않고 어떻게든 제 몸으로 끌어들이려 애쓰는 모습이 역력하다.

스며드는 빗물은 내 것도 네 것도 아닌 우리 모두의 것이라는 걸 아는 마당의 생명들은 나눔을 익혀왔고 베풀 줄 안다. 아니 땅속에선 서로가 엉키어 한 몸이다.

반가운 아이가 보인다. 심은지 하루 만에 냉해를 입어 꽃 봉오리 몇 개를 잘라 냈던 수국이, 빗방울 머금은 발그레한 얼굴로 인사하고 있다. 두 송이가 활짝 피었다. 얼었던 아이들 목대 자르고, 섞여 있던 아이들도 자르려다 그냥 두었는데, 그 아이들이 힘을 내어 살아난 것이다. 그리고 잘랐던 목대에서도 새 잎들이 앞다투어 나오고 있었다.

하루 만에 가버려 너무 서운했지만, 뿌리가 죽지 않았기에 다시 산 것이다. 언 잎도 자르고 기다렸던 것인데 이제 정착했다고 신고하는 것이다.

기다리길 잘했다!

당장은 죽은 것 같아 보여도 기다려 봐야 안다.

부엌 앞쪽 배롱나무와 팥꽃나무는 오늘도 소식이 없다. 작년 가을부터 시들했던 데크 쪽 커다란 공작단풍도 죽은 것 같다.

그래도 올해는 두고 봐야겠지...

## 42화. 비 온 다음날 풍경 (20230426. 수. 쌀쌀하고 청명한 날)

어제 내린 비로 마당의 묶은 때가 벗겨진 것 같다. 그래도 마당 의자를 닦아 보면 먼지가 누런 먼지가 묻어난다. 황사의 잔재라기 보단 송홧가루의 시작인가 싶다. 우리 집엔 나름 소나무가 많다. 그래서 송홧가루가 날릴 때는 조심해야 한다. 특히 집안에 송홧가루가 날아들어오지 않도록 신경 써야 한다. 목단은 절정이다. 멀리서 보면 하얀 솜뭉치들이 한들거리면서 무리 지어 춤추고 있는 것 같다. 흰 아이들이 어울려 있으니 나름 고상한 분위기를 보이면서...

흰 모란 사이에 진분홍 모란 하나를 심었다. 목대로 가느다란 아이지만 한송이 피운 아이다. 꽃이 지고 난 후 모란은 여느 아이들처럼 잎을 키워가며 꽃이 떨어진 자리에서 씨앗이 잉태되는 과정을 거친다. 떨어지는 꽃잎을 필두로 내년을 준비하는 단계로 돌입한다.

지난주 진딧물 약을 뿌린 후 장미는 좀 깨끗해진 듯하다. 꽃봉오리에 붙어있던 진딧물들이 많이 떨어졌다. 20여 년간 정원을 가꾸시는 어느 전문가에게 "가장 키우기 힘든 꽃이 무엇이냐"물었는데 망설임도 없이 "장미"라고 하시는 것을 본 적이 있다. 이제 입문단계에 불과한 내가 겪어야 할 장미에 대한 진실인지도 모른다.

그래도 장미니까...

한번 잘 가꿔 보리라. 낙담하지 말고...

장미는 거름도 좋아하고 벌레도 잘 꼬인다는 것, 한마디로 진하게 사는 아이인 듯하다. 자신의 생긴, 난 바 대로...

어제까지도 온 마당을 헤집고 다니던 깜냥이가 아침부터 보이지 않는다. 어디서 밥은 먹었을까…탈 나진 않았을까 걱정되는 저녁이다.

## 43화. 일하다 죽은 벌 (2023.04.27. 수 (오전 쌀쌀, 낮엔 포근함)

어제보다 오늘은 더 맑고 청명하다. 모란꽃들은 벌들에게 몸 바쳐가면서 하늘거리고 있다. 벌들이 주의해야 할 것도 있다. 모란 꽃잎은 저녁이면 문을 닫는다. 꽃가루든, 꽃술이든 간에 열심히 모으는 벌, 일밖에 모르는 벌들이 간혹 꽃잎에 갇히는 경우가 있다. 아침까지 살아있는지는 모르겠지만 모란의 큰 꽃잎에 갇혀 허우적거리는 벌아이들을 작년에 많이 봤다.

'일하다 죽은 벌...' 부지런한 벌에 어울리는 훈장일까?

사계장미 키 큰 아이, 지난번에 약도 쳤는데 오늘 보니 진딧물이 통통히 붙어 있다. 꽃 봉오리 주변은 더 하다. 인터넷을 뒤져 뿌리는 진딧물약을 신청해 놓고 심한 가지는 잘라 버렸다.

장미의 수난이 시작되는구나.

오늘 아침도 얼굴 보이지 않던 깜냥이. 적잖이 걱정되었는데 저녁에 강아지들이 하도 짖어 보니 삼색이와 같이 왔다. 반가웠다. '어디 갔다 왔니?' 깜냥이는 등을 비벼댄다. '어디 다친 데는 없이 잘 있다 왔네. 고마워'

캔을 따서 사료와 섞어 삼색이와 함께 나눠줬다. 굶었는지 금세 먹어치우고는 건너편 데크에서 혓바닥까지 드러내 놓고 장난치곤 잠잔다.

모란 모종을 여러 개 파내어 이웃에게 나눠줬다. '하얀 모란'이라 하니 더 좋아하셨다. 잘 키우시고 모자라면 더 드리겠다고 했다.

움직이는 생명이나 움직이지 못하는 생명이나 보살피고 함께 하다 보면 정이 든다.

사람과의 정만이 무서운 것이 아니다.

꽃도 나무도 고양이도 정들면 헤어지기 어렵다.

불어오고 불어 가는 바람처럼 있는 순간만으로 만족하는 법을 배우긴 아직 힘든가...

## 44화. 오늘만 같아라 (20230428. 금. 햇살 좋고 공기맑은 쌀쌀한 날)

'오늘만 같아라' 할 정도로 화창하고 좋은 날씨였다. 산딸나무는 붉은 꽃잎이 흐려져 곧 떨어질 것처럼 보인다. 근 한 달 동안 봄을 환하게 비춰 주던 아름다운 꽃이었다. 철쭉은 이제 피기 시작하는 것도 있지만 키 큰 나무철쭉은 꽃분홍 예뻤던 색이 점점 바래어 간다.

청단풍 나무 꽃을 보았는가? 빨간 꽃들을 주렁주렁 달고 있는 청단풍, 우리 집의 얘기 청단풍은 제법 많이 자라 잎도 무성한데 꽃도 많이 폈다. 이 아이들은 떨어지고 잎들은 더 푸르게 익어가다가 가을이면 붉게 물들 것이다.

이제 5월, 신록의 계절 주인공이다.

진딧물약이 배송되어 대문밖 덩굴장미와 집안의 사계장미에 뿌려 주었다. 황금조팝은 봄볕에 노란 꽃잎을 많이도 피웠다. 옆의 분홍모란의 꽃잎은 연분홍 명주보자기처럼 곱고 넓다. 무엇을 조심스레 싸 담으려나...꿀벌들은 보자기 사이를 헤집고 서로 들어가려 아우성이다.

깜냥이가 재롱떨기에 목을 만져 줬는데 어제 없던 혹이 생긴 것 같았다. 혹시나 싶어 간식을 주며 꼬셔서 강제로 잡아 뜯어 내보니 세상에 배가 볼록한 진드기였다. 바닥에 놓고 돌로 눌러 죽였다.

길냥이들은 진드기에게 몸을 뜯길 수밖에 없는 것 같다. 잔디밭에서도 뒹굴거리니까...안쓰럽기도 하지만, 커다란 진드기 하나를 때 내었으니 조금 덜 가려웠으리라. 자연 속의 초목들과 생명들과 입으로 대화하진 않아도 교감하는 것처럼 나의 습작, 글과 마음으로 공감하고 대화하는 통로가 있어 감사하다.

# 45화. 싹 틔운 배롱나무 (2023.04.29. 토. 가끔 비 맑고 쌀쌀 한 날)

쌀쌀한 아침 날씨가 청명함을 더 돋보이게 한다.

오늘은 정말 반가운 손님이 찾아왔다. 부엌 창문 앞에 심긴 배롱나무, 작지만 수형도 멋있고 예쁜 꽃을 한 달 내내 피우던 아이였는데 부동전 고장으로 물이 스며 얼어 죽었나 염려한 아이, 다른 나무는 싹이 다 나왔는데 4월이 다 가도록 인사도 않던 아이, 오늘 아침에 보니 싹이 나와 있었다. 너무 반가웠다.

'안녕 고마워 ~ 살아 있었구나 ~'

'다른 가지에도 싹 틔워 보낼 거지?'

애태우고 만나게 되니 더 반가웠다. 배롱나무는 6월부터 피기 시작하여 가을까지 길게 꽃을 보여준다. 수피가 벗겨진 나무들은 매끄러운 맨살에 홍조 띤 얼굴로 여름을 환히 밝혀준다.

추위에 약한 배롱나무지만 다행히 우리 집에 있는 아이들은 잘 견디고 있다. 소박한 분홍색 꽃을 오래 보여주는 배롱나무를 나는 좋아한다.

올여름도 열심히 꽃 피우고 덥고 지루한 여름을 화사하게 밝혀 줄 것을 기대해도 되겠지?

뒷 채마밭에 심은 상추, 겨자 등 야채들이 자리를 잡았는지 잘 자라고 있다.

미니 온실 속의 야채는 풍성해 요사이 식탁을 책임지고 있다. 샐러드와 쌈을 제공해 주는 고마운 채소, 아침에 뜯은 야채에 발사믹식초 살짝 뿌려 먹으면 호텔식 샐러드가 안 부럽지...

모처럼 휴일 아침을 따사로운 햇살아래 여느 이국 여행지에서 맞는 것처럼 즐겨본다.

## 46화. 잎이 더 풍성한 작약 (20230430. 일. 화창한 봄날)

어제까지도 피지 않았던 현관 쪽에 심었던 으아리꽃이 피었다. 꽃송이를 많이 물고 위에까지 올라간 아이들은 아직 피지 않았는데 바닥에 하나 물고 있던 아이가 먼저 핀 것이다. 풍성하게 금방이라도 결실을 쏟아 낼 것 같은 아이들보다, 홀로 바닥 한 구석에서 조용히 있던 아이가 먼저 얼굴을 내밀었다.

붉은색에 진한 분홍이 섞인 듯한, 주황은 아닌 홍조를 띤 얼굴로...

그러니 매사는 끝까지 가봐야 하는 것이다.

뭐가 먼저 될지는 결승전에 골인하기 전까지 모른다. 아무도...

그러니 희망은 언제나 함께 되야 한다.

잎이 엄청나게 무성해진 작약 속에 드문드문 꽃송이 중 벽에 기대어 있던 한송이도 피었다. 우리 집에 있는 작약은 나이를 먹어서인지 잎은 너무 풍성하다. 거창한 잎에 비해 꽃도 크지만 이상하게 피자마자 퍼져버린다. 쫀득하게 버티는 힘이 부족하다 그럴까?

뿌리는 어떨까?

올 가을엔 꼭 뿌리나누기를 해서 다른 곳으로 옮겨야 할 것 같다. 작약 꽃은 화사한 분홍색이 예쁘다.

화려하고 어쩌면 촌스럽다 할 정도로 진한 분홍인데 그림을 그려보니 색이 조금 덜 화려하다.

　아쉬워도 어쩌랴...

　양팔을 벌려 보듬기도 모자랄 정도의 잎숲 속에서 꽃송이는 열개도 안 될 것 같다.

## 47화. 알 품은 모란과 자란꽃 (20230501. 월. 햇살 좋고 바람 강함)

5월을 열어가는 오늘, 모란은 꽃잎이 많이 떨어져 속에 품고 있던 알들과 태반이 보인다. 서너 개씩(주로 다섯 개가 된다) 품고 보랏빛 왕관껍질을 쓰고 서서히 익어 갈 것이다.

속이 까맣게 타 들어갈 정도로. 이제부터 외롭고 긴 시간을 씨앗들을 익히기 위해 모란은 견디어 갈 것이다. 작년에도 그랬고 재작년에도 그랬다. 자연의 변화가 제대로 된다면 앞으로도 그럴 것이다.

지구온난화로 비록 개화의 시기는 변한다 하더라도 태어남과 자라감은 순리대로 자연 속에서 그렇게 이어지길 바라는 마음이다. 더 이상 인간의 이기심으로 인해 자연이 파괴되는 일이 생기지 않기를 간절히 바라본다.

자란은 꽃대를 올린 지 2주가 지나 이제 한 두 송이가 피었다. 붉고 똘똘한 꽃대를 느긋이 세우고 견디더니 오늘 두 송이가 핀 것이다.

피었어도 피지 않았어도 꽃분홍, 진분홍 자란 꽃도 싱싱하고 잘 생긴 잎도 예쁘고 기특하다. 2년 전 화분에 있을 때 시들시들해지는 것 같아 땅으로 옮겼는데 겨울이면 땅속에서 잠자다 봄이면 어김없이 고개 들고 나와 건강한 모습을 보여주는 아이다.

가만 보면 자란이나 앵초. 백리향은 꽃도 수수하지만 특색 있게 예쁘고 2~3주는 그 모습을 유지하는 것 같다. 마당에는 한 송이씩 있지만 모자란다는 생각이 들지 않을 정도로 제 역할을 톡톡히 하는 듯하다.

작다고 투덜거릴 것 없다.

난초이거나 접시꽃 봉오리면 거리낌없이 내미련 얻다가
가리키면 자란이나 옥초, 백리향은 꽃도 수수하지만 특색있게 예쁘고
나름대로 그 아름을 유지하였던 것들다. 바람에나 눅눅 한 흙이서 얹지'반,
오라진다는 생각이 들지 않을정도로 제 역활을 똑똑히 하는구나라.
작다고 투덜거릴것 없다.

아래와 꽃이 핀 자란

실물 의대하로 모란

## 48화. 불두화 (20230502. 화. (햇살 좋고 따뜻한 날)

뒷마당 데크 앞의 불두화가 몽우리를 맺더니 오늘 활짝 피었다. 부처님의 두상을 닮아 "불두화"라고 했다는데 우리 마당의 불두화는 아직 어려서인지 풋풋해 보인다.

마치 싯다르타가 해달의 경지를 찾아 세상을 향해 떠났던 청춘, 그 시절처럼...

오래전에 열심히 읽었던 헤세의 "싯다르타"...

작은 불두화를 바라보며 지난 추억도 잠시 되새겨 본다. 그러고 보니 지금 이봄의 하늘은 헤세가 좋아했던 풍경과 비슷한 것 같다. 오랜만에 다시 찾아 읽어 봐야겠다. 어느 작가님의 말씀대로 헤세의 수채화처럼 엽서를 만들어 보고 싶다는 생각도 든다.

독일을 좋아했던 이유 중의 하나도 헤세가 태어나고 살아간, 그의 정서가 탄생한 환경을 체험해보고 싶어서였는지도 모른다.

연두색 뭉치 속을 자세히 보면 조그만 꽃들이 알알이 뭉쳐있다. 모란이나 작약처럼 한송이로도 충분히 아름다운 꽃도 있지만, 수없이 많은 작은 아이들이 함께 모여 하나의 커다란 송이꽃을 맺히는 아름다움도 귀하다.

함께 모였기에 하나의 완성된 작품을 만들어 낼 수 있는 것처럼 화려하지도 않은 연두색의 불두화는 은은하게 마당을 명상으로 이끈다.

인동 손잡이런 꽃방을 가득 물은
블루딴

## 49화. 잔디와 용호상박, 잡초들 (20230503. 수. 맑고 따뜻함)

아침 마당에 물 주다 보니 잔디 사이로 풀이 많이 보인다. 잡초들, 이름도 알기 힘들 정도로 다양한 아이들. 살기 위해 나왔다지만 목적에 부합되지 못한 초생들이다. 쳐지는 삶의 어그러진 한 모습처럼 뽑힐 수밖에 없다 해도 어차피 다 뽑지도 못한다. 감당이 안되고 풀처럼 강한 것도 없다. 한편으론 저도 살겠다고 나왔는데... 어쭙잖은 동정심으로 뽑다 말기도 한다.

그래도 들은 바는 있어 민들레 꽃처럼 꽃이 핀 잡초 아이들만 다니면서 꽃만 꺾기도 한다. 네 잎 클로버 찾는다고 좋아했던 토끼풀도 심각한 잡초다. 한번 자리 잡으면 뻗어가는 근성이 있어 뿌리째 뽑아야 한다.

마당에선 잔디와 용호상박이다. 마당은 온갖 생물이 어울리기도 하고 투쟁하는 콜로세움(경기장)이다.

수돗가옆 물 받아두는 양동이에 말벌이 빠졌는지 허우적거리길래 주저하다 바가지로 누르면서 물을 뿌린 후 아작을 내버린다. 말벌은 유해충이고 무섭기도 하다.

여러 해 전에 씨를 얻어 뿌렸던 둥굴레는 해마다 여기저기서 잊지도 않고 찾아 준다. 뿌리가 얼마나 내렸는지도 모른다.

둥굴레의 고개 숙인 겸손한 하얀 초롱꽃은 참 예쁘다.

잎은 또 얼마나 깔끔한가! 연두색 청춘에 하얗게 선을 그어 포인트를 살린 아이들...

단정한 삶을 가겠다는 의지라도 표명하듯 살아 올라온 지금 모습이 가
장 예쁘다.

## 50화. 올라가는 으아리 (20230504. 목. 맑고, 오후 약간 흐림)

모란은 다 졌고 박태기나무는 푸르고 연한 잎을 추해진 꽃잎 사이로 올린다. 꽃이 떨어지면 여린 잎이 나온다. 한 여름이 되면 두껍고 진한 초록색으로 강해지지만 꽃이 진 후에 나오기 시작하는 연둣빛 이파리들...

신록예찬의 계절이 온 것이다. 연두색 어린 초록잎 색은 생생하며 보드랍고 물 위에 띄우면 파장으로 번져 나갈 것 같은 고운 에너지가 넘친다.

어느 때, 어디서라 얻을 수 있으랴...

이리 고운 에너지를...

사방으로 받아들일 수 있는 축복의 현장에서 살고 있음을 감사하지 않을 수 없다. 따로 영양분 챙겨 준 적도 없는 잔디는 씨앗을 맺은 아이도 많다. 주로 걸어 다니는 곳에 디딤돌을 만들어 놓았지만, 그냥 잔디 위를 밟고 다니게 되어 마당 한가운데가 탈모증이 생긴 것처럼 휑한 곳도 많다.

그런데 초록 잔디 사이로 자세히 보니 잡초도 못지않게 많은 듯하다. 어째야 하나...낼모레 비 오고 나면 풀을 뽑아야겠다. 하지만 풀은, 잡초는 언제나 굳세다. 끝까지 버티고 뽑아도 뽑아도 아침이면 '여기에요'약이라도 올릴 듯 건재하다. 때론 닮고 싶을 정도로...

기다리던 으아리가 꽃을 활짝 피웠다. 여러 종류의 으아리(클라멘티스)가 있어도 오리지널(?) 으아리가 제일 예쁜 것 같다. 큼직한 꽃을 환하게 피우면서 시렁을 타고 올라간다.

한해를 기다렸어도 보람 있다는 듯 당당한 올라가는 붉은 꽃송이...

씩씩해서 더 예쁘다.

# 51화. 개량작약 들이다 (20230507. 일. 오전 비 오후는 흐림)

부엌 쪽 처마 끝에서 떨어지는 낙숫물을 받아 둔 커다란 대야가 가득 찼다. 낙숫물은 모았다가 화분 물로 쓰면 좋다. 이틀 동안 제법 많은 비가 내렸음에도 땅에 구멍이라도 난 듯 대지는 빗물을 빨아들이고 얼마라도 더 받아들일 기세다. 이틀만 지나면 땅은 또 뽀송뽀송해져 목마르다고 투정할 것이다.

앞집 지인이 개량 작약을 하나 구해 오셨다. 지난번에 우리 집에 있던 작약(꽃이 달리면서 퍼지는 ㅠㅠ)과는 다르게 꽃이 통통하고 단아해 보여 구할 수 있으면 하나 구해 달라고 했었다.

집에 있는 작약은 꽃보다 잎이 무성하고 꽃이 피면 바로 벌어지고 그대로 퍼져서 시들 때까지 고개도 못 든 채 떨어져 버린다. 꽃이 바로 서서 핀 모습을 한 번도 못 본듯하다.

새로 온 작약은 붉고 꽃송이도 통통했다. 기대를 하며 대문 쪽 향나무 옆에 심었다. 키가 훌쩍 큰 것 같아 염려가 되기도 한다.

꽃송이는 커다란데 키가 커서 고개를 잘 들고 서있을까?

염려가 되지만 지인은 꽃도 통통하게 잘 피는 개량작약이라니 꽃이 활짝 필 때까지 기다려 보자...

어제부터 내린 비 탓인지 동요 "봄비"가 입가에 맴도는 하루였다.

# 52화. 낯선 곳에서의 아침은 (20230508. 월. 화창한 날, 햇살 강함)

비 온 다음날은 왠지 더 깨끗해지는 느낌이다. 어제 심은 작약은 키가 커서인지 낯선 곳이라 그런지 고개를 푹 숙이고 풀이 죽어있다. 그런데 물 준 후 낮에 보니 고개를 당당히 들고 서있었다. 오후 늦게는 또 수 그러 들었다.

아마도 아직 적응이 안 되어 그런가 보다.

사람도 꽃도 낯선 곳에서의 아침은 새로운 법이다.

구본형선생님의 "낯선 곳에서의 아침"을 열심히 읽으며 미래를 위한 자기 계발에 힘쓰던 때가 스쳐 지나간다. 그때는 알았을까? 자기 계발은 끝이 없는 평생의 과업이란 것을...요즘도 마당에서 여러 생명들과 공존하고 나눌 때 오히려 공(空)으로 채워져 간다는 것을 배우고 살고 있다.

지난 3월 22일 수국 심을 곳을 정리하며 화분으로 옮겼던 미스김 라일락이 활짝 피었다. 혹 살아나지 못하면 어쩌나는 심정으로 옮겼는데 자리를 잡고 꽃을 피우니 이제 이 아이는 제집을 찾은 것이다.

자그마한 사각 돌 분에 산모양으로 생긴 돌을 넣고 물을 채워 태양광분수를 만들었는데 볕이 좋은 날엔 제법 분수 같다. 돌틈 사이로 물을 흘려 내려 산을 찾은 사람들의 갈증을 풀어주는 폭포의 기분을 간접적으로 느끼게 한다.

마당에는 흙도 기거하는 돌도 소중하고 무엇하나 예쁘지 않은 것이 없다.

찾아보면 모두가 제 쓸모를 가지고 있다.

하물며 살아가는 인생들에게서야...

찾아보는 손이 부족할 뿐이다. 은은한 라일락 향기가 코끝을 자극한다.

이 향기가 사라지면 봄은 언덕너머로 '안녕'하며 사라져 갈 것이다.

## 53화. 아기 라벤더 꽃 피우다 (20230509. 화. 맑고 따뜻한 날).

온실 안 목재분에 심었던 토마토가 꽃도 많이 피우고 커졌다. 좁은 온실에 지줏대를 꽂아줄 수 없어 땅에 옮겨 심어야 한다. 뒷 텃밭에는 이미 토마토가 많이 들어가 있다. 대문 향나무옆 작약 심은 곳 양쪽으로 심고 지줏대를 박아 주었다.

꽃 사이에 야채라 토마토가 달리면 열매꽃이 되는 것이다. 토마토에 꽃이 많이 피어 있어 아까워 심고 이른 수확이라도 하고 싶어서다.

담장나무벽에 있는 장미는 꽃대를 많이 올렸고 지난번 진딧물 약 뿌린 후에는 깨끗해져서 오늘 첫 꽃을 피웠다. 드디어 5월은 장미의 계절임을 보여주는 시작이다. 붉고 커다란 장미가 담장을 아름답게 할 것이다. 이사 가신 앞집 할머니께서 예쁘다고 늘 보며 좋아하시던 장미가 엄청나게 많이 맺혀서 서로 필 기세다.

10cm 분에 담겨왔던 라벤더가 얼마 전 꽃대를 올리더니 꽃이 피었다. 네 개 심었는데 한 녀석이 부지런히 꽃을 피운 것이다. 하늘거리는 보랏빛 꽃, 여린 몸매를 흔들거리면서 얼마나 더 커갈까...라벤더는 잘 자라서 겨울도 나고 마당의 주인공으로 자리 잡았으면 좋겠다.

마가렛도 금방 꽃을 피울 기세다.

라일락 향기와 라벤더향,

어딘가 비슷하기도 한 서로 다른 보랏빛 향기가, 마당의 신록과 더불어

봄 하늘을 향기롭게 한다.

향기로운 바람이 넘나드는 보랏빛 하늘은 어느새,

나를 품고 저 먼 곳으로 여행길을 떠나게 만드네.

# 54화. 백합과 마가렛 (20230510. 수. 햇살 좋고 따뜻한 봄날)

아침에 채마밭과 화단에 물을 준다. 밭이 앞뒤로 나뉘어 있어 호스를 풀어 끌고 다니려면 힘들기도 하지만 물 줄 때가 가장 행복하다.

햇살은 밝게 비춰고 물살은 반짝이는 무지개를 흩트리며 초목들은 새 아침을 맞는 행복에서 잠을 덜 깬 채로 영양샤워를 한다. 맛난 끼니 한 끼 챙겨주지 않는데도 물만 먹고 하루하루 커가는 모습은 대견스럽다. 삼시 세끼 꼬박 챙겨 먹으며 건강관리 제대로 못하는 인간보다 낫지 않은가.

물주다 보니 담장 쪽 돌담아래 장미모양의 주물 장의자 구멍 사이로 마가렛 한 아이가 방긋 웃고 있다. 화단과 잔디사이에 의자를 걸쳐 놓았는데 그곳이 마가렛 밭이라 이제 막 피기 시작한 마가렛이 의자구멍 사이로 나온 것이다.

마가렛과 백합이 썪혀서 서로 의지하며 커가는데 터트리기 시작한 것이다. 마가렛은 하얀 꽃들이 군락을 이뤄 청초하고 아름답지만, 꽃이 절정이 될 때 많이 제거해야 한다. 더 두면 노란 꽃밥이 꽃씨가 되어 흩날리며 사방으로 퍼진다. 안 그래도 잔디에도 마가렛이 많이 올라와 뽑기도 한다.

마가렛은 키도 많이 큰다. 보기도 좋지만 번지는데도 끝이 없다.

뭐든 적당해야 좋다는 말이 마당에도 적용된다.

더 잘 살리기 위해 올해도 많이 뽑아 내야겠다.

매해 뽑아내도 해마다 다시 번식하는 부러운 번식력의 마가렛과 메리골
드 ~~

흰색 노란색 꽃도 예쁘지만 관리가 필요한 아이들!

# 55화. 채마밭의 아이들 (20230511. 목. 따뜻한 햇살 좋은 날)

미니온실 안의 상추가 많이 커서 충분히 뜯어먹고 있다. 상추잎도 자세히 보면 신비하다 할 정도로 모양도 예쁘고 색도 다양하다. 청상추에 적상추 그리고 보통 먹는 꽃상추는 여러 색이 어울려 섞여 있다.

야채들의 다양한 색은 현대인들에게 필요한 기능성 영양성분을 준다. 색이 가지고 있는 기능성물질(주로 플라보노이드 계통의)이 건강에 좋기 때문이다. 특히 스트레스를 많이 받는 현대인들에게...

상추는 우리 식탁에 빠질 수 없는 여름 쌈의 대명사 아닌가!

뒷 채마밭에 상추와 치커리, 겨자, 쑥갓 등 쌈야채를 다양하게 심었는데 그중에서도 상추쌈은 으뜸이다. 올해도 매끼 빠지지 않고 세 종류의 상추쌈을 실컷 먹을 것 같다. 상추에는 기능성물질인 "락투신"이 많아 많이 먹으면 스트레스 완화, 숙면 유도 등에 도움이 된다. 최근에는 "락투신"이 더 보강된 기능성 상추도 국내 농업 기술원 등에서 개발되고 있다고 한다.

마가렛은 부지런히 피기 시작하고 으아리도 많이 피어오른다. 무엇보다 장미가 하룻밤새 몇 송이나 더 피었다.

붉은 담장으로 될 날이 멀지 않은 듯하다.

## 56화. 단장한 병꽃나무 (20230512. 금. 흐린 하늘이지만 따뜻한 날)

뒷 밭에 있는 자그마한 병꽃나무는 몸이 두 개로 올라와 있다. 꽃은 많이 피는데 양쪽으로 퍼져 지저분했다. 해마다 꽃이 필 때면 저 아이를 어떻게 해야 할까 싶었는데 오늘 이웃지인에게 물었더니. 굵은 목대 하나 남기고 잔가지들은 다 베어버리라고 한다.

막 피려고 붉은 꽃봉오리를 많이 달고 있었지만 과감하게 쳐내기로 했다. 앞쪽 약간 더 굵은 몸만 남기고 잘라 버렸다. 60cm 정도 남기고 위로 구부러져 올라 간 가지도 잘랐다. 지줏대로 잡아주고 옆가지도 쳐주니 깔끔해 보인다. 진작 이리해 줄 것을 그랬나 싶을 정도로...

남은 꽃은 잘 피워낼 것이다. 올해 잘 자라주면 내년에는 한그루의 병꽃나무로 잘 자랄 것이다. 내친김에 청단풍도 올라가는 가지 굵은 것을 잘라 냈다. 위로 쑥쑥 커가는 아이들은 몸체를 굵게 키워가기 어렵다. 마당은 좁은데 나무가 많으니 키가 크는 것보단 몸체가 굵어지는 것이 낫다. 미산딸나무 가지도 조금 잘라 냈다. 제법 굵은 가지였지만 예쁘게 다듬어져 좋다. 과감하게 끊어내지 않으면 새롭게 자랄 수가 없다.

이전 직장에 있던 지인이 결국은 사직서를 냈다는 얘기를 오후에 들었다. 견디지 못해 낸 것이겠지만, 시간의 차이일 뿐 결국 모두가 그만두게 되지 않는가...고통속에서도 숙성되지 못한다면 그만두는 것이 낫다.

인생은 순환이다. 한 곳에 너무 오래 머물면 순환이 안된다. 순환되기 위해, 고인 물이 안되려 열심히 물장구를 치던 시절, 지금이라 다를까?

잘려버린 몸뚱이로도 당당히 버티고 있는 병꽃나무는 말하고 있다.

I'm still alive! "나 아직 멀쩡해"

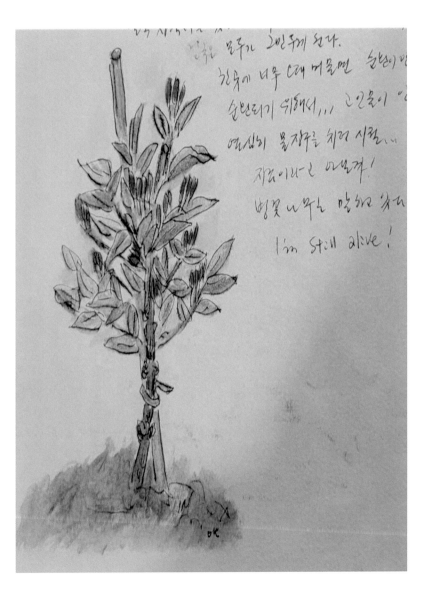

# 57화. 부지런한 삼냥이 (20230513. 토. 흐리고 따뜻한 초여름 날)

삼냥이들은 아침을 먹고 데크에서 나른한 몸을 쉬고 있다. 간밤에 얼마나 헤집고 다녔는지 까칠한 삼색이는 건너편 데크에서 깜냥이처럼 여유 있게 늘어져 있다. 멀리서 보니 화분에 심긴 블루베리 가지들이 일부러 맞춤이라도 한 것처럼 삼색이를 둘러싸고 있다.

나뭇가지 사진틀에 편안히 안식을 취하고 있는 삼색이, 그런데 누운 자세가 아무래도 배가 불룩하다. 임신한 것이 맞는 것 같다.

길냥이, 암컷 길냥이의 고달픈 묘생이 시작되는 것이다. 새끼를 낳으면 제 어미처럼 새끼들을 데리고 다닐 것이다. 어찌해 줄 방법은 없고 걱정이 될 뿐이다. 그래도 고양이 새끼까지 돌봐주긴 어렵다는 심정이다.

지금의 삼냥이들도 작년 겨울 집으로 들어온 아이들이고 여린 마음에 내치지 못하고 어미와 함께 돌본 아이들이다.

생태계는 암컷이 있어야 (물론 수컷도 있어야) 순환되고 유지되지만, 암컷들의 일생은 참으로 가엾다.

이른 봄에 어미는 나갔고 새끼들은 저들이 자란 곳이라 익숙한 지 계속 찾아와 지금은 성묘가 된 아이들이다. 어쩌면 보는 내 입장에서 불쌍해 보이는 것이지 저 아이들은 난 바대로 사는지도 모른다. 암컷이든 수컷이든 난 바에 충실하며 순응하는 것이다.

그래! 삼색이의 앞날도 걱정하지 말자.

더덕, 무조건 하늘로 향해가는 더덕을 위해 나무에 끈 줄을 매달아 준다. 마당의 흙은 기름지지 못해서 더덕이 제대로 자란 것을 보지 못했다. 그래도 열심히 자라 향은 참 좋다. 애들은 누가 뭐래도 봄이면 상관 않고 여기저기서 올라온다.

삼색이나 더덕잎이나 살랑거리는 봄바람에 맞춰 제 즐거운 대로 삶을 누리는 마당 풍경이 좋다.

살짝 열어 둔 마음 창문으로 내 몸까지 물들이는 더덕 향도...

## 58화. 하룻밤새 떠난 노랑모란 (20230514. 일. 포근한 초여름날)

두어 해 전에 노랑모란을 한그루 심었었다. 중국에서 수입한 종자라고 했는데 흰 모란만 있기에 심었는데 이 아이는 특색이 있다. 흰 모란과 비교하면 잎도 크고 많은데 더 재미있는 것은 꽃송이가 엄청 크다는 점이다.

그런데 꽃이 너무 커 그런지, 겸손이 지나쳐 그런지, 고개를 못 들고 잎숲 속에 살아 꽃 얼굴 보기가 어렵다. 오늘도 꽃이 피었나 잎숲을 들춰보니 커다란 아이들이 둘이나 있었다. 들춰서 살펴보니 아래쪽까지 세 송이가 피었다.

얼굴 든 것을 한 번도 제대로 못 봐, 한 손으로 꽃을 받쳐 들고 폰으로 사진을 찍었다.

손바닥 펼친 것보다 더 큰 꽃송이였다. 정말 컸다. 노랑꽃잎이 겹겹이 둘러쳐진 꽃송이는 꽃 뭉치라는 표현이 더 어울릴 정도였다.

중국 사람들이 아주 좋아한다는 황모란, 노랑모란이다. 중국황실에서 즐겨 키우고 의복이나 장식에도 빠지지 않았던 황모란은 우리 마당에서도 대륙의 후손답게 커다란 덩치를 자랑하고 있었다.

그러나 그렇게 자랑한들 무엇하나...

제 얼굴 하나 당당하게 들지 못해 수그리고 있는 것을...겸손하게 숙인 것이 아니라 지탱하기 힘들어서다,

차라리 홑겹이라도 바람결에 자유롭게 나풀거리는 하얀 모란이 진국이다. 흰 모란은 벌써 떨어졌는데 황모란은 이제야 피었지만 며칠이면 노란 잎들은 날아가지도 못하고 폭삭 내려앉아 낙엽처럼 수북해질 것이다. 황모란은 얼굴도 크지만, 떨어질 때로 잎이 한꺼번에 폭삭 내려앉아버린다.

모란이라고 다 같지는 않다.

125

## 59화. 백당화 (20230515. 월. 화창하고 약간 더운 날)

식전에 앞쪽 화단의 잡초를 조금 뽑았다. 조금씩이라도 뽑지 않으면 나아지지 않는다. 마당은 며칠, 아니 이틀만 물을 주지 않아도 메마름이 눈에 보인다. 관수는 사흘, 더 건조하면 이틀에 한 번 정도 할 생각이나 식물은 물도 매일 먹을 때와 하루라도 주지 않으면 표가 난다. 채마밭에는 자주 주더라도 화초, 나무에는 일주일에 두세 번 정도로 해 보고, 더운 여름엔 그때 가서 조절하기로...

백당화가 예쁘기 핀 지가 며칠 되었다. 꽃뭉치를 둘러싸며 하얀 꽃이 핀다. 속에 몽글몽글 모여있는 꽃잎들은 보호받는 아이처럼 들어앉아 있다.

꽃의 종류는 수없이 많으나 어찌 하나도 같은 모습 없이 다양하게 난 바를 뽐내는지 아둔한 머리로는 이해하기 힘들다. 그저 가슴으로 받아들이고 마음으로 이해해 갈 뿐이다.

생명의 창조와 변화를 매일 보고 사니, 미약한 존재감(存在感)에 겸손을 더하지 않을 수 없다.

그림일기를 쓰니 좋은 점이 몇 가지 있다. 우선 마당 삶의 변화를 찾아볼 수 있어 좋다. 꽃이 환하게 피었다 싶으면 금방 진다. 꽤 된 것 같은데 찾아보니 2~3주 안이다.

금낭화는 더러 남아 있으니 근 한 달은 보여주는 것 같다. 수국도 2~3주는 가는 듯하다.

모란은 일주일에서 열흘, 아침에 보니 핀 지 며칠도 되지 않은 황모란은 그대로 쏟아져 있다. 어제 일기에 며칠이라고 했는데 세 송이 중의 한송이는 이틀 만에 바닥에 다 떨어졌다. 황모란은 질 때로 한꺼번에 쏟아져 이별을 고한다. 참 특이한 하직 방법이다. 누군가 찾아보지 않았다면 꽃을 피우고 있었는지도 모를 삶을 마무리하는...

그래도 살아있다. 역시 I'm still alive 하면서...

마당의 초목들은 하루하루 이어지는 모양의 다른 삶에서도, 오직 버티면 된다는 실물 교훈을 보여주고 있다.

# 60화. 마당친구 호미와 아이리스블루매직 (20230516. 화. 더움)

낮에는 아주 덥다고 해, 이른 아침, 6시에 산책을 다녀왔다. 모처럼의 새벽 산책은 더 상큼하고 시원한 풍경을 주기도 했고 강아지들도 신나 하며 걷는다.

산책한 후 호미를 들고 풀 뽑기를 했다. 대문 앞에 질경이와 네 잎 클로버(토끼풀)가 모여있는 곳이 있다. 토끼풀은 뿌리로 이어져 뽑는다고 뽑아도 같은 자리에서 계속 나온다. 이 자리만 해도 매년 그렇다. 뽑는다고 뽑았는데 그 잔재가 남아 있나 보다.

이십 분 정도 호미로 뿌리를 파내가며 뽑았다. 그리고 돌(둥근 화산석)을 깔아 토끼풀이 다시 나지 않도록 조치해 본다. 아마 토끼풀은 말할 것이다. '잔디나 풀이나 모여있으면 초록의 풍경을 보여주는데 왜 나만 괴롭히냐고...'

호미처럼 요긴하고 정겨운 마당 친구도 드물 것이다. 남미에서는 대한민국의 호미가 한류로 전파된 성공작 중의 하나라고도 한다. 어디에도 이렇게 튼튼하고 활용도가 높은 마당 가꾸는 도구는 드물다. 아니 없다.

앞정원 현관 앞에 심었던 아이리스 블루매직이 두 그루 활짝 예쁜 꽃을 피웠다. 당당하게 화려하게 멋있게 보랏빛 꽃대까지 50cm는 되는 듯하다.

그런데 블루매직 5개 몬테시토 5개를 심었는데 나머지 아이들은 어디 있을까? 알뿌리심은 곳에도 명패를 해 두었어야 했나 보다.

우리 마당 속은 층층이 얽힌 아파트인지도 모르겠다. 살아있으면 나올 것이다. 올해 못 나오면 내년엔 나오겠지...

백합은 지줏대가 모자랄 정도로 여기저기서 올라오고 있다. 튤립은 알뿌리의 영양 때문에 잎을 그대로 뒀더니 말라가면서 추하다. 잎이 광합성 하기 어려울 정도로 누렇게 되면 잘라 정리를 해야겠다.

부지런한 하루! 마당 공부도 열심히 하자!

# 61화. 더 예뻐진 덩굴장미 (20230517. 수. 어제보다 덥다)

아침에 미니 온실 앞 수국 옆 마당의 풀을 뽑았다. 풀은 누가 부르지도 않았지만, 뽑아도 뽑아도 난다. 정원일기도 쓰는 마당이니 그래도 깨끗이 키워 보자는 마음에서 매일 조금씩이라도 뽑자고 하지만 6~8월에도 가능할까 싶다.

6월만 돼도 아침, 아니 새벽 아니면 마당에 나오기도 힘들다. 햇살은 뜨거워 하루도 견디기 힘든 앞마당의 흙은 금방 말라 딱딱해진다. 그런 악조건 속에서도 '나는 살아남는다' 당당하게 뚫고 올라오는 것이 풀이다. 잡초다. 잡초노래가 나올 수 있는 이유다.

힘든 상황에서 잡초근성이 있어야 함을 강조하는 이유가 타당하다 여길 정도다. 좌우지간 다가올 (아니, 이미 온 듯한...) 여름도 풀과의 전쟁이 될 듯하다.

뒷 채마밭은 매일 물을 줘야 할 것 같다. 오늘 하루 안 줬는데 바싹 마른 느낌이 전해져 온다. '저를 식탁에 올리시려면 우선 주린 배를 채워 주셔야 합니다.' 애원하듯...

담장에 심은 덩굴장미, 몇 년이나 되어 대도 굵고 해마다 예쁜 꽃을 피워 인기가 좋지만 올해는 진딧물의 고통도 겪어 그런지 훨씬 더 크고 예쁘게 많이도 피었다. 나무 담장 위 하늘로 향해 올라가는 모습이 장하고 대견스럽다. 대문입구 소나무 새순도 장미 사이로 키워가고 있다. 내일은 소나무 새순 치기를 해야겠다. 새순은 잘라줘야 한다는데 게으르고 잘 몰라

매년 그냥 두었더니 엊그제 지인이'이렇게 잘라야 해'하며 시범을 보였다.

쉬운 것이 하나도 없다. 예쁘게 보려면 그만큼 노력을 투자해야 한다. 돈 벌기 힘들다고 투정할 것 만도 아니다. 세상에 쉬운 일은 없다. 그냥 인 것 같아도 그냥 인 것은 없다. 당연한 것은 하나도 없다. 그러니 당연하다 고 생각한 것들을 너무도 많이 얻고, 가지고 사는 (숨 쉬고 사는 것부터...) 나 같은, 우리 같은 사람은 얼마나 행복한가 말이다.

가시가 있기에 장미가 되는 것이기에...

# 62화. 겸손 송과 흑장미 (20230518. 목. 흐리고 약간 낮은 28도)

소나무(마당에 있는 것은 크지 않다), 겸손 송과 다른 아이 새순을 잘라주고 전정했다. 다른 집처럼 말끔하게 자르진 못한 것 같다. 소나무 전정은 바람을 잘 통하게 하는 것이 기본이라던데 아무래도 나는 아직 부족하다. 교토 청수사에서 봤던 소나무, 커다란 체구에 가지도 많았지만 휑하다 싶을 정도로 솔잎이 몇 개 남지 않게 깨끗이 전정했던 것이 기억난다.

배워보면 잘할 날도 오겠지.

담장의 덩굴장미는 여느 해 보다 크고 색도 예쁘고 마당 안의 사계장미 꽃도 무척 크다. 5월부터 6월 중순까지가 장미의 절정인가 보다. 사계 흑장미 한송이가 정말 크게 피었다. 멀리 산과 하늘을 뚫고 치솟았다. 작년만 해도 이렇게 검은색은 아니었는데 올해는 제대로 흑장미 모습을 보여준다.

"장미여 누구에게 항거하기 위해 그대는 이 가시로 무장하기로 결심하였는가 너무나 섬세한 그대의 환희가 그대로 하여금 이토록 무장을 한 피조물이 되지 않으면 안 되도록 강요를 했는가?"

장미 가시에 찔려 파상풍으로 죽었다는 "라이너 마리아 릴케"의 시에서처럼 가시는 장미와 떼려야 뗄 수 없다. 가시는 장미다. 장미의 몸이다. 시인의 눈에는 자신을 지키기 위한 무기로써의 가시였는지 모르지만 어찌 보면 맹숭맹숭 매끈한 몸뚱이에 날카로운 포인트를 준 것 인지 모른다.

물론 장미가시를 절대로 우습게 보면 안 되지만 가시마저 화려한 꽃에 어울린다는 의미기도 하다. 화려한 장미를 꺾어 식탁을 장식할까 생각하다 제 난대로 뽐내며 한 시절 즐기게 그냥 두기로 한다.

지나는 이웃들의 칭찬도 즐기며 ~ '너는 참 아름답게 피었구나'

133

# 63화. 오이꽃이 피었다 (20230519. 금. 흐린 날)

일주일에 두세 번만 관수하기로 했으나 채마밭은 이틀 꼴로 물을 준다. 사실 채마밭은 매일 물을 줘야 하는데... 아마 더 뜨거워지면 매일 줘야 할지도 모른다.

식물도 적응력이 뛰어나다. 물을 적게 주면 그대로 견디는 법도 배워간다. 물론 생명을 부지할 수 있을 정도라야 하지만... 초목에는 적절히 훈련도 필요하다.

채마밭 오이 5개 심은 것 중 2개에 꽃이 피었다. 자세히 보니 오이가 달린 것도 있다. 오이지줏대라고 인터넷에서 몇 개 샀는데 플라스틱 망처럼 되어있는 조립품이지만 땅에 잘 박히지 않아 지줏대를 세운 후 사이에 박고 연결했다.

오이도 한없이 올라가길 좋아한다. 채마밭 바깥쪽에 있는 감나무와 살구나무 사이를 끈으로 연결해서 오이 잎들이 올라가게 해야 한다. 아무튼 싱싱한 오이를 따먹기 위해선 여기저기 이음다리를 놔주어야 한다.

담장 장미는 올해가 제일 예쁘고 크게 핀 듯하다. 지나가는 이웃들이 예쁘다고 칭찬한다. 건너 핀 이웃은 딸이 사진기를 가지고 나와 담장 장미를 배경으로 엄마를 찍어 준다. 요즘 보기 드문 DSLR카메라다. 딸의 눈에는 붉은 장미 사이 속에서도 웃고 있는 엄마 얼굴이 더 예쁘게 보였을 것이다.

나도 장미사이에서 셀카를 찍어본다. 우리는 매일 보는 꽃이라 그런지 누구도 꽃 옆에서 사진을 찍은 것 같진 않다. 이번 주말엔 다 같이 사진도 좀 찍어야겠다. 장미도 그랬으면 할지도 모른다.

이사 가신 앞 집 할머니는 잘 계시는지 궁금하다. "아유 ~~ 어쩌면 올해 는 더 예쁘고 튼실하네 너무 아름다워 ~ "하시던 모습이 눈에 선하다.

한 아름 꺾어 보내 드리고 싶다.

# 64화. 돌단풍 뿌리 나누며 (20230521. 일. 흐리고 무척 더운 날)

어제오늘 약간 흐리다. 찌뿌둥한 날씨에 벌써 덥다.

오전에 산책하고 미니 온실을 걷어냈다. 온실 속의 상추 쑥갓, 로메인은 웃자랐고 샐러리와 바질도 잘 자랐다. 미니온실은 사계장미 주변의 작은 땅에 밭을 만들어 2미터 온실을 만든 것이다. 온실을 빼낸 후 돌로 테두리를 해준다. 텃밭장소로는 좋지 않은데 어찌 그리되고 말았다. 계획 정원이 아니다 보니 여기저기 제멋대로 인 곳이 많다. 뭐 이런 것도 재미가 아니겠는가?

그러고 보니 거름도 줘야겠다. 작년 늦은 가을과 올 초에 한 번씩 주곤 안 줬다. 미생물이라도 얻어 와 뿌려줘야겠다. 약도 안치지만 거름도 (퇴비나 유박 등) 잘 주지 않는 편이다. 이웃 지인의 텃밭을 보면 채소공장같이 크고 풍성하다. 채소들의 우리 집의 두세 배는 되는 듯하다. 주인이 부지런하고 뭐든 많이 주는 탓에 채소아이들도 거대한 것 같다. 식물들도 영양섭취를 잘해야지 주인 잘 못 만나 못 먹인 티가 난다.

딱 우리 식탁에 어울리는 아이들이다.

지인이 마당정리를 하면서 돌단풍을 나눠 주셨다. 작년에도 주셔서 돌담 사이에 심었는데 올해 잘 자라 돌 틈사이를 예쁘게 돋보인다.

돌단풍이 왜 돌단풍인가? 풀도 자라지 않을 것 같은 강가의 웅장한 돌 틈에서도 뿌리를 돌에 딱 붙이고 살아간다. 메마르고 척박한 환경에서 물이 부족해도 잘 살아남는다. 돌에서도 살아남는 질긴 생명력의 아이라 돌단풍인 것이다. 돌담사이 돌단풍은 벌써 꽃이 피고 졌다. 돌단풍은 뿌리를 쪼개 조금만 있어도 심으면 산다. 새로 심은 아이들은 커다란 잎을 자르고 남은 줄기와 뿌리를 심어주면 된다. 큰 잎에 영양분까지 보내긴 힘들다. 뿌리가 활착해야 하니 잘 심어주고 물을 듬뿍 준다.

5월 7일 들어온 홍작약은 아직도 꽃을 피우지 못했다. 꽃봉오리는 그대로 보이는데...활짝 벌려 환한 꽃 보내기가 아직인가? 새 집에 이사 와서 적응하기가 그리도 힘든가? 이번주에는 피려나?

붉은 꽃 봉오리가 연 분홍색으로 바래어 간다...

# 65화. 풀 뽑으며 마음 수련 (20230522. 월. 덥고 미세먼지 약간)

아침에 풀을 뽑는다.

어느 작가분께서 풀을 뽑는 것은 고행, 수련이라 하셨는데 정말 뽑는 시간은 무념, 무상에 수련을 하는 것이 맞다는 생각이다. 쪼그리고 앉아 뽑혀나가는 풀을 보며 '이렇게 뽑힐 초생(풀의 생명)이고 제 의지로 태어난 것도 아닌데...' 연민 아닌 연민도 조금 느끼며... 생태계에선 풀도 있어야 다른 식물들도 살아갈 수 있는 것이다.

세상엔 필요에 의해 태어난 것도 불필요에 의해 태어난 것도 없다. 생명이기에 이어지고 살아가야 할 숙명을 지키는 것뿐이다.

풀 뽑다 보니 지난 3월 7일 심었던 카라 구근 3개 중 두 개에서 꽃이 피었다. 장날 꽃가게에서 팔던 카라는 큰 아이였는데 우리 마당엔 아기 카라가 올라왔다. 신기하고 예쁘다. 물 주지 않은 날엔 딱딱하기만 한 땅에서 두 달 넘게 뿌리내리고 싹 올리며 자라온 아이들이다. 고맙고 기특한 일 구근은 첫 해는 적어도 해를 거듭해 가며 알뿌리가 실해지는 듯하다. 자리 잡고 잘 자라길!

대문 옆, 아끼는 커다란 고목 같은 향나무 아래는 원추리와 범부채 꽃 등이 작은 숲을 이루고 있다. 깜냥이가 라일락 나무를 긁어대는 것을 본적 있는데 오늘 보니 향나무도 긁으려 폼을 잡고 있다.

'안돼! 그만' 소리 지르며 막대기로 내쫓는 시늉을 하니 깜냥이가 놀라

뒤를 돌아본다. 이 녀석은 삼냥이 중에서도 제일 뻔뻔하고 적극적이다. 물론 챙기기도 많이 해 그런진 몰라도 나를 졸졸거리며 따라다니고 뒹굴며 재롱도 떤다.

그러니 다른 아이들보다 간식 하나라도 더 얻어먹지만 저지르는 못하게 해야 하는데 걱정이다.

도를 넘으면 안 된다! 깜냥아!'

## 66화. 초여름 풍경 (20230523. 화. 뜨거운 햇살, 약간의 미세먼지)

벌써 한여름 날씨인 것 같다. 봄이 시작되는 3월부터는 일기가 변화무쌍하다. 6월이 가까워지니 이른 아침이나 해지기 전에 바깥일(마당 돌보는) 일을 해야지 낮에는 엄두도 못 낸다.

엊그제 걷어 씻어 말린 미니 온실을 접어 내년, 혹 올 늦가을을 기약하며 창고에 넣어 둔다.

여기저기 심은 향기 글라디올러스는 뾰족한 촉을 열심히 올리며 세상으로 나오고 있다. 3월에 심은 깃 중 아이리스 몬테시토와 제피란서스는 기약이 없다. 앞 정원에 나리꽃이 무더기로 올라오고 있는데 그 자리에 심긴 건 아닌지 모르겠다. 땅속 구근은 싹이 올라오기 전엔 표식이 없으면 뭐가 들어 있는지 모른다.

모란은 어느새 작은 왕관을 쓰고 있다. 씨앗들이 초록의 옷을 입고 자라고 있다. 지금부터 가을까지 햇살을 먹고 튼튼하고 까맣게 익어갈 것이다.

채마밭의 가지도 제법 자랐고 오이는 꽃피우며 몇 개씩 달려있다. 깻잎 모종을 예닐곱 개 심었는데 많이 자랐다. 아직 키는 못 컸지만 여러 장의 깻잎을 달고 있다.

언제 무엇과 먹어도 맛있고 독특한 깻잎, 깻잎처럼 맛있는 존재, 요리를 더 돋보이게 만드는 존재로 산다면...하지만 깻잎도 호불호가 있다.

모든 것이 다 좋을 수는 없다. 무던한 상추이기에 어쩌면 깻잎보다 더 사랑받는지도 모르겠다.

맛있는 채소가 잘 자라줘서 식탁이 풍성해 감사한 저녁이다.

# 67화. 채마밭 초록 군사들 (20230526. 금. 더운 초여름 날씨)

몇 주 전에 심었던 작약은 아직도 꽃송이 그대로다. 색도 바래지고 말라가는 것 같다. 하나는 약간 벌어졌는데 주말에 비가 온다니 살아날지도 모르겠다. 꽃이 안 피면 올해는 적응하느라 힘들어 그랬나 보다 생각할 수밖에...

꽃송이까지 다 맺혀놓고 얼굴만 열면 되는데 그게 그리 힘든가 보다. 임신기간도 힘들지만 아이가 태어나는 그 순간이 가장 힘든 것처럼...

온실을 걷어낸 앞쪽 채마밭 주변으로는 장미가 심어져 있어 채마밭으론 적당하진 않지만 이른 봄 채소밭으로는 해가 잘 들어 좋다. 돌담으로 구분되어 가지런히 자라고 있는 모습을 위에서 내려다보니 군인들이 정렬해 있는 것 같다. 육해공군, 다양하게 소임을 다하고자 결의를 다지고 있는 씩씩한 투사들처럼...

덕분에 푸릇푸릇하게 살아가고 있단다. 고마워!! 거름도 줘야 할 텐데 내일은 이웃에게 물어봐야겠다.

우리 동네는 산을 깎고 조성해 만든 곳이라 마당의 흙이 밭에 있는 흙처럼 물기를 잘 머금고 있지 않다. 이틀에 한번 물을 주고 있지만 풀이라도 뽑을라치면 그새 바싹 말라있다.

식물들에겐 물 주는 것도 습관이 된다고 한다.

물도 부족한 나라 아닌가. 이삼일에 한 번씩 줄 때마다 듬뿍 줘야겠다.

기후변화로 우리나라도 점차 아열대성 기후로 가고 있다지만 때론 스콜처럼 하루에 한두 번씩 잠시라도 내려주면 좋지 않을까 하는 생각도 해보게 된다.

# 68화. 구근 식물의 매력 (20230527. 토. 점심부터 실비가 내림)

주말에 비가 많이 온다는 예보대로 날이 흐리다 오후부터 비가 조금씩 내린다. 목마른 대지에는 갈증을 해소하고 픈 많은 식물들이 기다리고 있다. 국지성 호우도 오고 연휴임에도 일기가 안 좋다고 해 염려도 되지만 동네가 비가 잘 안 오는 편이라 제법 내리기를 기대해 본다.

카라구근 4개는 노란 꽃을 피우면서 잘 자랐는데 자란 옆에 심겨서 자란의 큰 잎에 가려 크기 힘들 것 같아 파내어 옆으로 옮겼다. 실뿌리가 아주 많이 나왔다. 구근도 신비스럽다. 조그만 알뿌리 하나에서 이리도 예쁜 꽃 피고 뿌리는 또 얼마나 않았는지... 이제 터 잡아 줬으니 제 집이라 여기고 잘 번식해 줬으면 좋겠다.

앞마당 산딸나무 옆에 나리 몇 송이 심었던 것이 올해는 아주 많이 나왔다. 일주일 전부터 꽃대를 올렸는데 붉은 주황빛이 야광처럼 빛나는 꽃을 세송이나 피웠고 주변에는 시합이라도 하는 듯 여기저기서 꽃대를 올리고 있다.

구근식물의 매력이다.

5월엔 각양각색의 꽃들로 눈이 호강한다. 더불어 무채색의 마음에도 화려한 여행의 바람이 불어왔으면 좋겠다.

떠나자 열대의 숲으로...

남미의 숲에는 온갖 색깔의 생명들이 있다. 지금 마당의 색도 표현하기 어려울 정도로 원색의 화려함이 신록과 어우러져 있다.

# 69화. 피고 지는 것도 제 운명 (20230601. 목. 화창하고 무더운 날)

사계장미는 진딧물의 고통에서 회복된 후론 꽃을 많이 올린다. 흑장미가 높이 올라가는 것이 안쓰러워 아치지지대를 검색해 싼 것으로 주문했는데 오늘 받았다. 뒷밭으로 가는 길목에 설치했더니 생각보다 괜찮다. 조립식 철구조로, 연결해 아치형으로 세우면 된다. 높이도 2미터가 넘고 폭도 꽤 넓은 아치였다. 높이 올라온 장미 송이를 연결해 주고 돌로 고정해 주니 장미도 살려주는 것 같아 없을 때보다 훨씬 보기 좋다.

역시 신경 써주고 보충해 주면 모양도 나는 법이다.

덜어내는 것도 중요하지만 때론 더하는 것도 필요하다. 다만 더할 때에는 덜어내기에도 지장이 없고 더해서 도움이 되는 것이라야 한다.

새로 심은 작약은 죽은 것 같다. 매일 물 주고 정성을 기울였지만 꽃 봉오리 색이 변해 검어지는 것 같다. 새로운 환경에 적응하고 치고 올라올 만큼의 여력이 없는 것이다.

제 운명이다. 내 속이 이럴진대 저는 얼마나 더 피고 싶었을까...

색이 시들어 가는 꽃송이들을 자르려다 그냥 둔다.

내년에는 잘 피겠지...

# 70화. 시작되는 백합 (20230603. 토. 뜨겁고 화창한 날)

산책 다녀온 후 아침 물을 준다. 초목들에겐 아침식사가 되려나.

앞마당 정원의 백합이 처음으로 꽃을 피웠다. 마당의 첫 백합꽃이다. "가시밭의 한송이 흰 백합화"는 아니고 분홍빛이 아름다운 볼 빨간 새색시 어린 백합이다. 그럼에도 향은 고고하게 퍼져 문을 열고 나오면 마당엔 백합향이 그윽하다.

이 아이는 향기로써 자신의 존재를 알리고 있다.

고개 숙여 핀 첫 아이 외에도 금방이라도 활짝 웃으며 뛰어나올듯한 아마조네스용사들, 예쁜 용사들이 줄줄이 대기하고 있다.

백합종류도 다양하다. 종자 수명은 3년 정도라는데 우리 집 아이들은 더 오래된 것도 많다. 땅속에서 알뿌리를 키우고 번식해 가는지도 모르겠다.

마당의 백합만도 여러 종류가 있어 찾아보니 세계적으로는 4,000여 종이 넘고 우리나라에도 123종이나 있다고 한다.

백합! 친근하고 향기로운 여름 벗!

아름다운 향과 꽃을 길게 보여줘~~

## 71화. 대봉의 꿈 (20230604. 일. 요즘 유독 석양이 아름답다.)

텃밭의 채소는 식구들의 비타민과 여름 건강을 책임진다. 듬뿍 뜯어도 금세 먹어 치운다. 치운다는 표현이 미안할 정도로 잘 자라줘 고맙다.

그래도 6월 말 장마가 오면 지금 같진 않을 것이다. 좋을 때 많이 먹으라고 권하기라도 하듯 채소들은 형형색색으로 뽐내고 경쟁하며 잘 자라고 있다.

뒷 채마밭의 감나무는 나이는 일곱이나 되는 아이인데 매년 한두 개 달리다 떨어지더니 작년엔 스무 개도 넘는 커다란 감을 안겨줬었다. 오늘 보니 꽃은 벌써 떨어지고 어느새 대봉이 달려있었다. 무성한 잎숲 속에 숨어 크로바모양으로 알알이 맺혀 있어 눈에 띄지 않았나 보다. 감나무가 내 키보다 훌쩍 큰지라 올려다보며 사진을 찍는다.

대봉은 커가면서 자신이 감당할 수 없는 짐을 털어내기라도 하듯 애써 맺은 감을 떨어 뜨린다. 처음 달렸던 아이들의 반이상이 떨어지는 것을 작년에 봤다.

감당하지 못할 욕심은 미리 털어내고 가볍게 가는 지혜의 모본을 보여주기라도 하듯...

올해도 제법 달렸지만 10월이 지나 수확할 때는 몇 개가 남아 있을지 궁금했다. 이 아이 중 끝까지 갈 아이들은 얼마나 될까...

그래! 그건 그때 일이고...

달려있는 대봉감은 씩씩하고 예쁘다. 잘 자라다오!

군데군데 너무 자라 큰 키에 휘둘리고 있는, 남은 마가렛을 뽑아 감나무를 덮어준다.

# 72화. 잘라야 할 오동나무 (20230605. 월 덥고 오후엔 바람)

제라늄 삽목했던 것 중, 죽은 것 빼내고 다시 두어 개 삽목했다. 화분에 있는 제라늄도 정리해 주고 물싸리 나무는 조금 큰 분으로, 초화 두 개도 옮겨 심으며 미니온실 쪽에 있는 화분정리대를 정리했다.

담장 쪽 돌 틈 사이에 오동나무가 있다. 우리가 심은 것이 아니고 바위 틈 사이에 원래 있던 것인데 잘라내도 해마다 올라와 더덕의 지지대로 쓰인다. 바로 아래에 모란이 있다. 여름 뜨거운 햇살아래 모란의 뿌리들은 잎에 의해 튼튼해지고 알들은 햇살을 먹고 잎과 뿌리의 기운을 받아 익어 간다. 그런데 돌 사이의 오동나무는 여름이 되면서 커다란 잎이 나와 그늘 지게 만든다.

작은 양산처럼 펼쳐지는 오동나무 잎들 아래 모란가족은 뜨거운 햇살을 잠시 피할 수 있어 좋을지는 모르나 결국은 잎의 광합성작용이 떨어져 씨 알들이 숙성해 가는 데는 방해가 된다. 오동나무뿌리까지 뽑아버리려 노력해 봤으나 큰 돌사이에 워낙 깊이 박혀 포기하고 잎은 계속 잘라 주었다. 올해도 커다란 오동나무 잎은 곧 잘라야 할 것 같다. 너무 큰 잎이 그늘을 만들기에 잘라 버릴 수밖에 없다.

모란잎 아래에도 매발톱과 둥굴레도 많다. 금낭화는 너무 무성해져 스스로 누렇게 떠 버린 것도 많다. 단출하게 정리하기 어려운 곳이다.

열대우림처럼 잎이 무성해진 여름엔 이 작은 곳에서 무슨 일이 벌어지고 있는지도 모른다. 서로가 힘이 되어 그늘이 되 주기도 한다.

살아남는 아이도 있고 다음 해 여름을 맞지 못하는 아이도 있다.

큰 아이도 작은 아이도 서로 어울려 살아가고 있는 곳이다. 그래도 오동
잎은 너무 튀고 커서 다른 아이들에게 피해주기에 연초록 푸른 잎의 싱싱
한 오동잎이라 할지 라도 잘라줘야 하는 것이다. 자연의 어울림도 때론 적
당한 것을 요구한다.

## 73화. 낭만 가객 깜냥이 (20230607. 수. 비 오지 않은 흐린 날)

이른 아침 윗동네로 3바퀴 산책, 언덕이 많아 운동하기엔 적당하다. 산책 후 마당에 물을 주며 시든 장미 잘라내고 풀도 한 줌 뽑고 물을 준다. 마당에서 가장 행복할 때는 물 줄 때인 것 같다. 시간이 흐를수록 행복한 고마움이 더 커간다. 갈급한 생명들에게 생수를 뿌려 주며 초라한 마음 구석구석에 끼여 있는 욕심과 허탄의 잔재까지도 씻겨 나감을 느낀다. '이런 것이 있었나' 할 정도로 깨닫지 못했던 이기심까지 더불어...

전원생활을 할수록, 마당과 조금씩 더 가까워질수록 가진 것에 대한 감사가 넘치며 조금 모자라도 부족함이 없다는 생각을 가지게 된다. **"지금"이면 충분하지 않은가. 항상 지금이 좋았었다. 그땐 애써 몰랐을 뿐이다.**

삼색이 밥 주며 보니 하얀 귓등에 진드기가 무려 다섯 마리나 붙어 있다. 먹느라 신경 판 틈에 뽑아내어 손톱으로 눌러 죽였다. 요즘 나의 아작 상대는 진드기다. 말은 못해도 얼마나 시원할까? 그거 면 됐다.

깜냥이는 장독대 위, 새 밥으로 놓아둔 묵은 쌀까지 아삭거리며 씹어 먹는다. 새의 낭만까지 섭렵해 보려는 것일까? 장난칠 때는 잔디도 뜯어먹던데, 쌀까지 씹어 먹는지는 몰랐다. 그러고 보니 얼마전 부터인가 아침에 새들이 보이진 않았다.

그래도 얼마나 멋진지 모른다.

항아리위에 올라 있길래 '내려가' 한마디 하니 훌쩍 내려와선 늘씬한 몸매를 죽 뻗고 항아리 위의 쌀알을 씹어 먹는다. 앵두나무에는 '따닥따닥' 앵두가 많이도 열렸다. '깜냥아 ~ 앵두나 따먹지?'

앵두나무아래 원추리와 비비추가 연록의 청춘을 가진 컷 뽐내고 있다. '딱딱 아자작' 씹어 먹는 깜냥이가 귀엽다기라도 하듯 바람결 잎으로 손뼉 치고 있다.

호기심 많은 낭만가객 깜냥이!

# 74화. 떠나간 공작단풍 (20230609. 금. 화창한 날이나 오후엔 덥다)

3년 전에 심은 겸손 송(고개 숙인 아이라 우리 집에선 그리 부르고 있다) 곁에 붙어 왔던 야생백합(나리꽃의 일종인지?)이 삼단케이크처럼 붉은 꽃을 예쁘게 피웠다.

맨 아래가 먼저 피었는데 겸손 송을 닮아서 인지 꽃이 모두 아래를 향해 있다. 함께 붙어살다 보니 닮은 것인가...

대문옆 향나무와 함께 거금(?)을 주고 데려왔던 공작단풍나무! 그리기도 힘들 정도로 몸도 가지도 구부러진 멋진 자태를 보여주었건만 작년가을부터 시원찮더니 올해는 아예 잎도 피지 않아 아무래도 죽은 듯싶어 가지를 잘라보니 바싹 말라 이미 죽은 지 오래된 아이였다.

식구들은 죽은 공작단풍나무는 파내고 이참에 옆에 있던 작은 배나무도 공원 쪽으로 옮기자고 한다. 진즉에 죽은 아이였는데 '혹시나' 두고 보겠다는 미련 때문에 편히 쉬게도 못했던가 싶어 조금 미안한 마음도 들었다. 잘 건사해 주지 못해 아쉽지만 어쩌랴...

올 때가 있으면 갈 때도 있는 법, 때론 원치 않아도 정리해야 할 때가 있다. 내일 그 자리엔 백합에 치여 제 한 몸 건사하기도 힘들었던 서부 해당화를 옮겨 심고 주변을 정리하기로 했다.

죽은 공작단풍나무는 뒷마당에 두고 말려 땔감으로 쓸 것이다.

후일 불멍 할 때 바싹 마른 몸 훨훨 태워 가고 싶었던 곳으로 풍등처럼

날아가 어느 하늘 아래 고운 재로 내려앉아 대지의 품속으로 귀향하기를
~~

# 75화. 이사한 서부 해당화 (20230610일. 토. 맑다 흐리다 소나기)

어제오늘 작정하고 식구들과 마당정리를 했다. 공작단풍 뽑아낸 자리에 서부해당화를 심고 배나무 파 낸 데크 쪽 정리하고 백모란 모종 세 그루를 옮겨 심었다. 모유 수유해 자란 아이들이라 튼튼하게 잘 컸고 내년이면 꽃도 필만큼 커질 아이들이다.

한쪽에 있는 조팝나무는 분홍꽃을 활짝 피우며 번져 다듬어 주고 뿌리를 조금 캐내어 화분에 심는다. 황금조팝은 잎도 예쁘고 분홍꽃이 피면 더 아름답다. 단점인지 장점인지를 꼽으라면 잘 퍼진다. 넓은 정원에 있다면 지금보다 훨씬 사랑받을 아이다.

옮겨 심은 서부 해당화는 어른 키보단 약간 작다. 지난해 초봄, 땅 속에 백합 구근이 있었던 것을 깜박하고 심어 백합이 바싹 붙어 자라게 되었다. 여름이 되면서 백합이 2미터가 넘을 정도로 울창하게 자라는 바람에 오히려 서부해당화가 제대로 못 자라게 된 것이다. 이제 넓은 곳으로 옮겨 모양도 잡아주고 전정도 해 주었으니 편하게 자랄 것이다.

고맙게도 소나기까지 찾아와 뿌리도 잘 내릴 것 같다.

마당생활을 하면 채우는 것보다는 덜어내는 것, 비우는 것 정리해 주는 것의 중요성을 더 깨닫게 된다. 잠시만 내버려 둬도 온갖 것들이 자란다. 뽑아내야 할 것들이 지천으로 퍼진다.

잘라줘야 치워내야 더 잘 자랄 수 있다. 여름 마당은 꿰차려고만 하는,

재워 두려고만 하는 인간 습성에 경종을 울린다.

채우는 것보다 중요한 것은 비워내는 것이라고...

# 76화. 햇살먹고 자라는 토마토 (20230613. 화. 맑고 더운 날)

요번 주는 간헐적으로 소나기가 온다니 물을 많이 주지 않아도 괜찮을 것 같다. 물론 초목들의 마음은 모르지만…

주말에 옮겨 심은 서부해당화잎은 생생해 보이는데 작은 공원에 심은 배나무잎은 늘어져 있다. 죽어도 할 수 없다는 마음이긴 했지만…

그래도 살아야지.

모란 네 그루는 자리를 잡아갈 것이다.

채마밭에는 토마토가 많이 달렸다. 방울토마토가 방울방울 달려있는 것이 참 귀엽다. 붉게 익어가는 것이 보여 두어 개 따 먹는다. 싱싱하고 새콤한 맛, 올해 첫 토마토 맛은 최상이었다. 햇살 먹고 익은 토마토는 시중에서 파는 것과는 다르다.

물론 개인적인 생각에 불과할 수도 있겠지만 해를 받고 땅의 기운에 힘입어 온전히 익은 것이 제대로 맛있다는 것은 사실 아니겠는가? 식구들이 모두 토마토를 좋아해 종류도 다양하게 많이 심었으니 충분히 먹을 수 있을 것이다.

올해는 토마토 마리네이드도 만들어 보고 싶다. 지중해식 식단의 근본 재료는 토마토 아닌가. 신선한 그대로 상큼 베어 먹기도 하고… 생각만 해도 즐거운 토마토 파티다.

알알이 달린 아기방울토마토는 한 입 거리로... 통통한 몸매를 자랑하며 잘 익어갈 커다란 토마토는 맛있는 샐러드와 멋진 요리로 환생할 것이다.

파이팅 토마토!

힘차게 잘 자라야 한다!

## 77화. 비와 바람에 흔들리며 (20230615. 목. 소나기)

어제저녁에는 비도 바람도 천둥, 번개도 많이 쳤다. 마당에 나가보니 깜냥이가 겁이 나는지 바싹 곁에 붙었다. 언제 그랬냔듯 맑게 개인 아침이었지만 낮엔 소나기가 내렸다.

기상이변으로 이런 날이 점점 많아질 테니 걱정도 된다. 바람이 많이 불고 비가 거칠게 내리면 이름 모를 꽃들이 더 안쓰럽다. 이런 아이들은 대부분 키가 크다. 어느 시인의 시처럼 흔들리며 피는 꽃은 시골에서 살아본 사람은 누구나 할 것이다. 마당에도 꽃분홍색 꽃을 피우는 아이와 노랗게 꽃을 피우는 여린 아이들이 한편에 자리 잡고 있다.

어찌 꽃뿐이랴…

나무도 채소까지도 모진 바람에 흔들리면서 익어간다.

우리네 유약한 삶과 무엇이 다를까?

인간의 삶을 꽃과 자연으로 노래한 많은 시에서처럼 그리 바람에 흔들리면서도 꺾어져 부러지는 꽃은 별로 없다. 흔들거리면서 제 자세를 잡아가고, 금방이라도 쓰러질 듯하지만 해 아래 꽃 피우며 열매 맺는 것을 보면 어떤 시련과 고통이 찾아와도 살고자 하는 의지는 쉽게 꺾을 수 없음을 보여준다.

생명에 순응할 수밖에 없는 천명을 지키는 자연에게서

자유의지를 가지고 살아가는 인간은 겸손히 배워야 할 것 같다.

# 78화. 장미 다듬어 주기 (20230617. 토. 화창한 햇살에 더운 날)

장미는 피고 지고 반복한다.

정원의 사계장미를 잘라주면 옆에 새 봉오리가 올라온다. 덩굴장미는 한 번으로 끝인 양 생각했다. 이웃이 요즘 덩굴장미도 사계장미처럼 계속 핀다고 하며 잘라 주라고 한다. 워낙 꽃 봉오리가 많아 여기저기서 핀다 생각하고 수북이 쌓이는 꽃 낙엽만 치웠는데...

로즈힙이 달리기 전에 잘라줄 생각을 왜 못했을까? 전년도엔 로즈힙 오일을 만들어 보겠다고 올리브오일에 로즈힙을 담그기도 했었다. 워낙 꽃이 많아 로즈힙을 다 거두지도 못했지만...

오후에 막 생긴 로즈힙을 전정했다. 미리 떨어지지 못한 장미의 붉고 바래진 꽃잎들이 추하게 달려있는 것들도 많다. 통통하게 살찐 청춘 로즈힙도, 꽃잎이 아직 달려 있는 꽃송이도 깔끔하게 전정을 했다.

로즈힙을 붉게 익혀갈 정성으로 다시 꽃봉오리를 맺고 늦은 장미를 보여 달라고 기원하며 로즈힙을 잘라낸다.

겹백합은 크게 올라가서 봉오리를 위로 몇 개씩이나 맺혔다.

'어떤 꽃이 피려나?' 궁금증이 벌써부터 기대하게 만든다.

새 장미꽃이 피어나요 기대하며...

OK

165

# 79화. 향기로 채워주는 백합 (20230619. 월. 무척 더운 날)

백합이 피기 시작하는데 큰 아이들은 이제 기지개를 켠다. 서부 해당화를 짓누르고 크던 대백합(웬만한 나무 기둥 같은 몸체를 가지고 있다)은 꽃송이도 많이 맺히고 있다.

활짝 피기 시작하면 장관일 듯싶다.

향기는 또 얼마나 좋을까?

모든 꽃들이 그러하듯 백합도 다양한 법, 지난 초봄에 사서 심었던 겹백합은 고고하게 세 송이 꽃대를 올리고 있다. 막 터질듯한 통통한 꽃송이를 가녀린 몸매로 용케 지탱하고 있다.

"가시밭에 한 송이 흰 백합화야 고요히 머리 숙여 홀로 피었네

인적이 끊어진 깊은 산속에 고요히 머리 숙여 홀로 피었네"

자연 속에 사니 오래전 불렀던 노래도 기억난다.

요즘 백합은 그룹이다.

홀로 피는 것은 거의 없다.

시절이 시절인지라 사람들 있는 곳을 좋아하고 함께 핀다.

그렇다 치더라도

그 향기는 어디 가지 않는다.

백합은 백합이다.

# 80화. 별 모자 쓴 겹백합과 보랏빛 가지 (20230621. 수. 종일 비)

예보대로 종일 비가 내렸다. 퍼붓는 비는 아니지만 대지의 목마름은 해갈시키는 비다.

뒷 채마밭에 오이와 가지가 열렸다. 특히 가지는 올 들어 처음 열린 아이다. 보랏빛 광채에 통통하게 적당한 몸매가 더 돋보인다. 커다란 잎에 가린 꽃이 핀 아이들이 여기저기 달려있다. 올여름엔 가지냉채와 구이를 많이 먹을 수 있겠다.

토마토는 여러 종류를 많이 심어, 이름도 모를 아이들이 많이 달려있다. 신기한 점은 토마토는 달려도 붉게 되기까진 시간이 제법 걸린다. 시장에서 사 온 잘 익지 않은 약간 푸른빛이 도는 토마토는 금세 붉게 익는데...

햇살아래서 제 몸을 붉게 태우는 것은 진정 시간을 요하는 일인가 보다.

가지에 매달린 생이라도 조금 더 누리고 싶은 것일까? 오롯이 제 몸을 달궈 진짜배기의 맛을 보여주고 싶어서일까? 밭에서 제대로 익은 열매의 맛이 시중에서 파는 것과 다른 이유는 열매의 철학이 담겨 있기 때문일 것이다.

그래서 밭에서 딴 실과들은 한 입 베어 물때도 감사하고 고마운 마음과 함께 한다.

앞 정원의 겹백합은 꽃 봉오리를 틔웠다.

별모자를 쓰고 있는 먼 나라 소년처럼...하루 이틀사이 꽃을 보일까?

다음 주는 여행계획이 있는데 그때 얼굴을 보이려나...마당의 얌전한 아이들이라도 개성은 제각기 뚜렷하고 살아있다는 표현의 다양함은 신비롭다.

# 81화. 향기 글라디올러스 심던 날 (20230623. 금. 맑고 더운 날)

비 온 뒤라 기분 좋고 깨끗한 날 하늘은 눈부시게 화창하고 푸르며 뜨겁다. 이웃 지인이 마당정리를 하며 덩굴장미와 찔레 장미를 여러 그루 캐놓고 가져가겠냐고 전화해 아침에 다녀왔다.

장미는 가시 때문에 차에서 꺼낼 때도 조심해 꺼내야 한다. 꽃이 진 후라 줄기 위주로 남기고 잎은 대충 정리한 후 대문 앞쪽과 공원 담 쪽으로 심었다. 다음 주엔 장마가 온다니 운이 좋으면 다 잘 살아갈 아이들이다.
더구나 장미는 생존력이 뛰어나니 살고 말 것이다.

미니 온실옆에 심었던 목수국이 잎만 무성하고 꽃도 달리질 않아 뒤쪽으로 옮기고 여기저기 심어 촉이 올라오기 시작하는 향기글라디올러스를 모아 심었다. 파보니 잔뿌리는 있지만, 알맹이는 큰 파뿌리 정도다. 그런데도 키는 아주 크다. 정말 향기 나는 예쁜 꽃을 많이 피워줄까? 한 곳으로 모았으니 경주라도 하듯 서로 도우며 잘 커갈 듯싶다.

이번주 초부터 어딜 갔는지 보이지 않는 깜냥이... 일주일이 다 돼 가는데 아무래도 무슨 일이 생겼나 싶다. 요즘 누렁이가 코털이 괴롭히는 것도 봤는데...정 주지 말아야지 싶다. 안 보이면 보고 싶으니 정이 무서운 것이다. 샐리는 장이 탈이 났는지 설사와 구토를 했다. 아무래도 과식해서 그런 것 같다.

돌봐주는 사람 잘못이다.

이래 저래 싱숭생숭한 날이다.

햇살이 청명하듯 마음도 맑아지면 좋겠다.

## 82화. 꽃 향기 즐기며 풀 뽑으니 (20230701. 토. 맑고 아주 덥다)

어제저녁, 며칠을 비우고 왔더니 마당엔 백합향으로 가득했다.

아니, 고개 가누기조차 힘든 러시아워 지하철처럼 백합향으로 꽉 찼다고 해야 할까?

여기저기서 '잘 다녀오셨어요' 인사라도 하듯 향기가 진동한다.

아침에 일어나 마당에 나가 보니 예상대로 백합은 온 마당을 점령하고 있었다. 앞마당의 겹백합, 잎이 벌어져 금방이라도 터질 것 같았던 아이들 핀 것도 있지만 이미 져버린 것도 많았다.

그리고 사라져 가는 중인 아이들...아직도 건재함을 보여주는 백합에 코 끝을 대어보니 좋다고만 하기에도 너무 강한 진하고 특색 있는 백합향...

호불호가 갈리지만 그래도 여름에만 볼 수 있는 맡을 수 있는 귀한 향이 아닌가! 백합향으로 꽉 찬 기차를 타고 어디로든 올라갈 수 있다.

그러니 맘껏 즐겨야 한다.

마당은 일주일새 풀밭이 되어 버렸다. 자주 내린 비로 화단 사이사이에 풀들은 제 세상을 만난 듯 꽃보다 채소보다 더 푸르고 싱싱하게 자라 점령하고 있었다.

이 또한 여름 아니면 보기 힘든 광경이다.

불 뽑아내기도 힘들고 잔디 깎기에도 힘들겠지만 차근차근 즐기며 해내야 한다.

　일이라 생각하면 엄청난 일이 될 것이기에 고행을 즐기는 마음으로 오랫만에 뽑뽑기 수련을 해야 할 것 같다.

# 83화. 가출했다 돌아온 깜냥이 (20230702.일. 더워도 너무 덥다)

지난주 집 비우던 날 깜냥이가 잠시 왔었다. 며칠 보이지 않아 아예 다른 곳으로 갔나 걱정하며 '정주는 것도 뗄 줄 알아야 하는데...'생각했는데 얼굴을 비친 것이었다. '여행 잘 다녀오세요'라고 인사하러 온 듯, 너무 반갑고 안심하며 떠났었는데 오늘 오전에 어디선가 '야옹' 소리가 나 보니 깜냥이가 와 있었다.

정원에 물 부탁을 한 이웃도 깜냥이는 일주일 동안 보지 못했다는데, 마치 '야옹~잘 다녀오셨어요' 인사하면서 어느새 몸을 비비고 있었다.

그런데 이 녀석 몰골이 말이 아니다.

거미줄에 얼굴이 덮여 한쪽 눈도 제대로 못 뜨는지라 밥 먹는 동안에 떼어 냈다. 이젠 컸다고 만지는 것도 제가 원하지 않으면 싫어하는지라 얼굴을 훑다시피 해 거미줄을 걷어냈다.

고기와 비벼주니 허겁지겁 먹어 치우곤 마당 한가운데서 드러누워 재롱을 떤다.

하루이틀 비운 적은 있어도 이번처럼 여러 날동안 안 들어온 적은 없어 '이제 정 떼야 하나보다' 했는데 들어온 것이다.

그런데 깜냥이는 저 역시도 여행 다녀온 것이라 생각했나 보다. 며칠 만에 들어왔어도 전혀 낯설지 않게 제 집에 온 것처럼 편안하다.

'그래 너도 여행 다녀왔구나 우리 서로 개성을 존중하며 안달하지 말고 살아야겠다 그렇지?'

막 피어난 첫 메리골드 사이를 깜냥이는 씩씩하게 헤집고 다닌다.

'아 집에 돌아오니 좋다. 역시 집이 최고야...'라며.

## 84화. 품위 있게 도라지 가족 (20230703. 월. 더운 여름 날)

이번 주는 간간이 비가 많이 온다고 한다. 장마가 시작이니 그렇겠지만 작년처럼 국지성 호우로 피해 보는 곳은 없었으면 좋겠다. 마당과 더불어 살다 보니 비가 와도, 안 와도 걱정이다. 때론 '스콜'처럼 하루에 한 번 정도 필요할 때만 쏟아주면 어떨까 하는 생각도 든다. 그래도 각각의 장단이 있으리라.

앞 집 지인이 주셨던 도라지꽃, 키가 부쩍 크고 동그란 모양의 꽃봉오리를 맺더니 아침에 보니 활짝 피었다. 옆에 있던 다른 아이들도 연두, 보랏빛으로 물들어 동그랗다고 할까? 사각이라고 할까? 아니 어찌 보니 옛 선비의 관모 같기도 초롱 같기도 하다. 살짝만 건드려도 터질 것 같은 초롱은 솔바람이 가득 들어 팽창해 있다.

'도라지꽃 풀초롱꽃 홀로 폈네, 솔바람이 도 잠자는 곳 산골짜기

예부터 졸졸 흘러온 흰 물 한줄기 한밤중엔 초록별 내려 몸 씻는 소리'

백번 들어도 아름다운 시다.

흔하게 여겼던 도라지 한 뿌리가, 실상은 초록별로 정갈해진 고귀한 선비의 한줄기 시였고 노래였던 것이다.

예전부터 우리 가곡을 즐겨 들었지만 자연을 벗하며 살다 보니 가곡은 정말 자연을 제대로 알고 노래한 아름다운 시요, 바람으로 이어진 선물이라 아니할 수 없다. 꽃들이 들려주는 정겨운 추억과 영감은 일일이 말로

표현하기 어렵다.

이때 아니면 언제 만날 수 있겠는가?

어두운 밤길에 시 한수 읊으면서 작은 초롱 들고 어디론가 총총히 가는 소박한 아낙과 점잖은 관모 쓴 지아비 선비, 마당에서 흔들거리며 꽃봉오리를 이고 있는 도라지 가족의 이야기다.

# 85화. 여름 꽃나무 여왕 배롱나무 (20230706. 목. 더운 여름 날)

여름 꽃도 종류가 많겠지만 나무꽃으로 치면 배롱나무꽃과 수국이 아닐까 싶다. 유럽, 특히 정원으로 유명한 영국에는 수국을 많이 키우고 유럽 문화를 좋아하는 일본에서도 수국은 많은 사랑을 받는다. 수국은 종류도 다양하고 잘 키우면 크기도 커지고 더불어 탐스러운 꽃을 많이 피운다. 마치 솜사탕이 매달려 있는 듯한 정취를 맛볼 수 있다. 요즘은 추위에 강한 아이들도 많아 수국을 키우는 집도 많다.

수국도 좋아하지만 개인적으로 배롱나무를 좋아한다. 흰 꽃과 분홍 꽃이 여름 내내 피고 지기를 반복해 찌뿌둥하고 덥고 습한 날에 산뜻한 기분을 안겨준다. 수국이나 장미처럼 한송이가 돋보이긴 힘들지만 작은 아이들이 무리를 이뤄 소담스러운 꽃을 보여준다. 꽃 분홍색이지만 화려하기보단 소박하고 수수한 아낙의 반쯤 접어 올린 분홍저고리다. 꽃이 백일을 간다는 백일홍처럼 여름 내내 꽃을 피운다.

물론 장미도 처음 핀 날을 계산해 보면 피고 지고 다시 피고 족히 한 달은 넘긴다. 비 오고 더우며 습한 일기에 오래도록 예쁜 제 모습을 보여주려고 얼마나 애를 쓰고 있는지 말하지 않아도 알 듯하다.

마당에 몇 그루의 배롱나무가 있는데 앞 정원에 있는 작은 아이가 먼저 꽃을 피웠다. 배롱나무는 꽃도 정겹지만 목대도 예쁘다. 얇은 수피를 벗겨내 가며 구불거리는 몸매를 옆으로 펼치며 하늘을 향해 올라간다.

안면도엔 배롱나무가 많다.

해변을 향해 가는 내내 도로변에 심어져 있는 다양한 모습의 분홍색 배롱나무, 분홍 꽃 선물이 이어져 있는 길을 보며 먼저 떠난 로리와 아이들과 즐겁게 여름 캠핑 가던 때가 그립다.

올여름엔 안면도의 배롱나무를 만나긴 어렵겠지만 못 만난 들 어떠리...

마당에 있는 여러 그루의 배롱나무가 짭조름한 바다 내음을 바람친구와 더불어 몰고 올 텐데 뭘...

# 86화. 삼색이가 아가를 데려왔다 (20230707. 금 흐리다 많은 비)

어제오늘 아침 일찍 풀을 많이 뽑았다. 지난주에 비가 많이 와 땅이 촉촉하니 잘 뽑혔다. 장마 중에 제일 신나는 아이들은 잡초인 것 같다. 망촛대, 크로바(토끼풀) 특히 민들레를 꽃인지 잡초인지 어느 부류에 넣어야 할지 모르지만, 작은 아이들부터 애들 키 크기만 한 거대 민들레... 놔두면 하늘에 목을 매고 끝없이 올라갈 아이다. 홀씨의 힘인가? 정원은 풀만 뽑아내도 훤하다. 장마가 끝나기 전까진 뽑아내도 계속 자랄 것이다.

우려했던 일이 현실로 일어났다.

며칠 전 아기 냥이 한 마리가 장미 숲 속에 있는 것을 구한 적 있는데, 예상했던 대로 삼색이 아기였다. 오후 창문에서 정원 데크를 보는데 엊그제 봤던 아기 냥이가 삼색이와 같이 있었다.

삼색이는 미안해서인지, 인사라도 시킬 요량인지 나와 눈을 맞추며 약간 멋쩍은 표정을 짓는다.

삼색이 배가 갑자기 꺼져있었고 얼마 전에 밥 주며 보니 젖은 부풀어 있어 의심은 했지만, 어디선가 새끼를 낳고 숨겨두고 다니는 엄마였던 것이다. 삼색이가 유독 말랐던 것은 아이들 젖 먹이느라 그랬고 집에 와 밥 먹고는 늘어지게 자고 했던 것이다. 비록 길냥이지만 새끼를 아끼는 모성은 사람들과 다르지 않아 제 몸을 말려가면서도 새끼들을 보살핀 것이다.

삼색이 같은 길냥이도 마당의 초록들과 같이 마당을 구성하는 중요한 주인공들이다. 마당정원은 여러 생명들이 전혀 공통점이나 어울릴 것 없어 보이는 다양한 개성들을 죽이지 않고 서로 존중하고 인정하면서 함께 어울려 가는 곳이다. 나도 일원으로 끼워줘 고마울 뿐이다.

엄마 삼색이... 누구라도 자식을 향한 위대한 헌신을 외면할 수는 없다.

자신은 말라가면서도 새끼들을 향한 애정으로 엄마가 되어가는 삼색이에게 어찌 맛있는 식사를 제공하지 않을 수 있겠는가? 새끼들을 아예 데리고 입성할지도 모른다는 염려는 잠시 접어두고 캔을 따서 비벼 맛있는 저녁을 준다.

## 87화. 이웃 할머니의 사랑 (20230708. 토. 맑은 날)

평소 알고 지내던, 교회 할머니 댁을 방문했다. 우리 마을에서 꽤 떨어진 사는 동네에 홀로 사시는 어르신이다. 성품이 깔끔하고 단정해 신세 지기를 싫어하시는 분이신데 오라 하셔서 무슨 일이 있나 염려되어 급히 갔다. 무슨 일 있으신가 염려되어 여쭈니 '밥 한 끼 해주고 싶어서' 부르셨다고 하셨다. 밥 해준고 오라 하면 오지 않을 것 같아 그냥 불렀다고 하셨다. 잘해드린 것도 없는데... 울컥하는 마음을 누르고 내가 밥 짓겠노라 했더니 절대 아니라고 하신다. 당신 몸도 제대로 가누기 힘드실 정도로 연로하신 분이신데 왜 밥 한 끼 꼭 해주고 싶어 싶으셨는지... 아마도 작은 친절에 감사하셨던가 보다.

장화를 신으라 하시더니 산 밑 밭으로 데려가신다. 서울 가 계신다는 동생분이 심었다는 큰 블루베리 나무가 많이 있었다. 할머니는 블루베리를 따보이시며 소쿠리를 주셨다. 블루베리 나무는 크고 오래되어 한 그루에도 많이 달려 있었다. 익은 것과 덜 익은 것이 섞여 있었고 잘 익은 것은 새들이 쪼아 먹은 것도 많았다. 블루베리 따는 것도 보통 일은 아니었다. 블루베리가 비쌀 수밖에 없는 이유를 알 것 같았다. 한 시간 남짓되어 소쿠리 두 개가 어느 정도 채워졌다.

집안에 들어오니 그사이 할머니께서는 따뜻한 밥과 찌개를 해놓으셨다. 그것도 감자와 양배추까지 넣고 무거운 압력밥솥으로...한 사발 가득 푸시고는 나에게 내미신다. '너무 많다'라고 사양하자 '젊은 사람이 그것도 못 먹냐'며 먹으라 강권하신다. 당신께서는 누룽지에 물 말아 드신다고 아무리 말려도 솥을 놓지 않으신다.

힘들게 준비하셨을 한 끼, 양배추 쌈과 감자밥을 감사히 먹었다. 식사 후 설거지를 하고 있는데 할머니께서는 블루베리를 한알이라도 더 들어가도록 흔들어서 정성껏 박스에 담으신다. 양배추 한 통과 밭에서 딴 작은 복수박 한 통, 그리고 블루베리 두상자, 집에 가져가서 먹으라 주신다. '너무 많아요 조금이면 돼요~~' 아무리 말씀드려도 막무가내다.

집에 돌아와 블루베리를 이웃과 나누고 냉동시킬 요량으로 소분했다. 한 알 한 알 담긴 블루베리는 찌뿌둥한 날씨에 따기는 힘들었어도 따닥따닥 사랑과 정으로 맺힌 열매, 할머니의 마음이 깃들여 있는 반짝이는 보석이었다. 밥 한 끼 해 주고 싶으셨다는 할머니의 말씀이 마음 깊숙이 메아리쳐온다. 나 역시 누군가에게 따뜻한 밥 한 끼를 언제라도 나눌 수 있는 사람으로 나이 들어갈 것을 다시 한번 다짐해 본다. 할머니께서 건강하게 오래오래 사시기를 기도한다.

## 88화. 장마에 힘든 채마밭 (20230712. 수. 흐리다 맑다 저녁엔 비)

이번 주는 비가 계속 온다. 하루도 오지 않은 날이 없는 것 같다. 내리다 그치곤 햇살도 비친다. 밤에는 폭우가 쏟아져 피해가 우려된다는데 우리 동네는 심하지는 않다. 물론 깊은 밤 자는 동안 쏟아지는 폭우는 잘 알 수 없다.

깜냥이는 며칠째 외박이다. 이제 다 컸나? 삼색이가 새끼를 데려와 그런가? 아무래도 새로운 곳을 개척한 것인가?

'어디서든 안전히 잘 지내고 있으면 되지...' 그냥 마음을 접는다

삼색이는 현관 앞 목재 보관함 위에서 새끼 네 마리와 함께 잔다. 아침에 현관문을 여는데 새끼 중 제일 작은 아기가 떨어진 것 같은데 고양이는 고양이인지라 유연하게 몸을 일으켜 달아난다. 어찌 그곳에 올라가는지 모르겠다. 테크에서도 비를 피할 수 있는데 유독 그곳을 좋아한다. 저희들 밥도 거기에 넣어두는 줄 알기 때문일까 아니면 높은 곳을 좋아하는 냥이 특성 때문일까…

채마밭엔 토마토, 오이, 가지가 많이 달려있다. 방울토마토는 괜찮은데 큰 토마토는 엉덩이 쪽이 상한 것들이 많다. 비가 너무 와서 그런지, 햇빛을 덜 받아 그런지 혹 영양이 부족해서인지 모르겠다. 오이는 튼실하게 잘 달려 있다. 그냥 먹어도 맛있고 소금에 살짝 절여 소박이를 해도 맛있다. 식구들이 오이를 좋아하기에 간식으로 먹기에도 딱이다. 오이와 가지는 줄기가시가 있어 그냥 따면 따갑다. 오이 몇 개를 전정가위로 잘라 무침을

한다. 옆에 가지도 세 개 따서 가지찜을 했다. 요즘은 구이를 많이 해 먹지만 예전에 아버지께선 꼭 가지무침을 해주셔야 드셨던 기억이 났다.

　어머니께서 밥 하실 때 함께 쪘던 가지를 호호 불어가며 젓가락으로 가르던 생각이 난다. 밭에 달려있는 가지도 예전 그 가지처럼 예쁘고 진한 보랏빛이지만 뜨거운 가지를 호호 불며 무쳐 보아도 어릴 때 먹었던 맛은 아닌 것 같다. 여름 더위를 삭혀주던 어머니의 가지 냉국과 가지무침이 오늘따라 유달리 더 그립다.

# 89화. 가시 장미사이 홀로 핀 흰 백합 (20230710. 월. 흐리다 갬)

밤새 거세게 내린 비에 삼색이와 새끼들이 걱정되었는데 이른 아침 문을 여니 현관문 수납장 위에 있었다. 역시 고양이는 고양이다. 제 살 길을 질 찾는다. 인간의 관점에서 보지 말아야 한다.

오전 내내 비가 내렸다. 우산을 쓰고 마당을 둘러보는데 채마밭쪽 데크 옆에 봄에 심은 백합이 꽃을 피웠다. 정말 새하얀 백합이다. 마침 옆에는 지난번에 지인이 준 노란 장미를 심었는데 그 사이에서 백합꽃이 핀 것이다. 가시밭(장미)에 한송이 흰 백합이 된 것이다.

비에 젖은 하얀 꽃잎은 모시적삼에 살짝 비치는 아낙의 속살처럼 희고 청초해 보인다. 마당 여러 군데 백합이 많지만 대부분 연노랑과 붉은색이고 겹 백합꽃이 흰색이었는데, 겹이라 너무 풍성해 이런 단아한 정감은 느낄 수 없었다. 알뿌리 두 개를 심었으니 옆의 백합도 흰색일 것이다.

삼색이는 새끼들을 아예 우리 집에 정착시킨 것 같다. 밥을 주면서 거둬주고 있으니 당연하게 여길 것이다. 손바닥 안에 들어오는 아기들이 귀엽고 사랑스럽기도 하지만 어째야 할지 고민이다. 삼색이가 계속 임신하면 새끼를 또 낳을 것인데 그것도 문제고 애들이 다 여기 머무르려 한다면 그것도 문제다.

우리 지역에선 길냥이 중성화 수술(TNR)을 해주지 않는다. TNR(Trap Neuter Return)은 길냥이들을 안전하게 포획해 중성화를 한 후 표식을 하고 원래 있던 곳으로 잘 돌려 보내준다는 것인데 요즘 TNR의 효과에

대해서도 의견이 분분하다. 삼색이도 혜택을 받을 수 있으면 좋으련만...
그렇다고 데려가 시켜 올 수도 없고... 고민이 된다. 좋은 방법이 생기길.

## 90화. 여름주인공은 누가 뭐래도 초록 (20230714. 금. 종일 비)

일기예보가 잘 맞는 것이 신기할 정도로 비가 계속 온다. 거실에서 보이는 정원은 한 폭의 큰 풍경화다. 김이 서려 약간 뿌옇지만 연녹에 회색 비가 어우러신 몽롱한 수채화랄까, 잔디와 여린 나뭇잎들 간간히 붉은 베롱꽃들, 초록과 붉은 기운에 심취된 베르사유 궁전의 연회장보다 조용하게 더 화려하다.

"친애하는 친구여 ~ 모든 이론은 회색 빛이지만, 인생의 황금나무는 초록이라네 ~" 괴테의 명언처럼 황금나무에 둘러싸인 이 여름, 부러울 것이 없다.

올봄 화분에서 옮겨 심은 키 큰 철쭉은 빗물로 얼굴이 마를 새가 없다. 지난주 깎은 잔디가 벌써 푸르게 올라와 있는 것을 보면 마당아이들은 비와 상관없이 바쁜 듯하다. 오히려 풀들은 비가 오면 더 신나게 춤춘다.

오래 못 가는 여름 꽃이라 했던가...흰 배롱나무꽃은 피고 지기를 반복하고 분홍 배롱나무도 꽃을 피웠지만 비가 계속 내려 무겁게 고개 숙이고 제 모습을 돋보이지 못하고 있다. 여름꽃은 지금으로 봐선 백합이 아닐까? 장미일지도 모르겠다. 유월을 지난 장미는 조금 덜 화려하고 누렇게 지는 장미는 잘라줘야 할 정도다.

그래, 여름 주인공은 초록이다.

어떤 화려한 꽃도 초록물결은 이기지 못한다. 하기사 이기고 지는 것이

어디 있단 말인가...모두가 주인공으로 살아가는 마당인데...

이른 봄 수선화나 제비꽃 하나에도 감동했던 것은 긴 겨울 후에 핀 꽃들이라 그랬다. 여름 꽃들은 피고 지고 핌의 연속이라, 그 고마움을 덜 느끼는지도 모른다.

내리는 빗속에서 여름꽃 장미도, 향기로운 백합도 초록의 요람 안에서 제 역할을 묵묵히 해내는 날이다.

# 91화. 마당의 조연, 오브제 (20230715. 토. 종일 장맛비)

밤새 강한 비가 내리고도 모자라는지 종일 내린다. 충남, 충북, 전북, 경북 등지에서 엄청나게 비가 온다며 호우경보, 주의보를 방송한다. 자연재해는 사람이 어찌할 수 없다. 아무리 예측하고 대비해도 조금 도움받을 뿐이지, 근본적으로 조절이 가능한 것은 아니다. 계절도 마음대로 못 하듯 일기도 예측할 수 있을 뿐 결과는 아무도 모른다.

돌담 앞에도 백합이 있는데 꽃분홍 백합이 예쁘게도 피었다. 구석에 세워둔 파란 새집 오브제, 새 한 마리 찾은 적 없지만 묵묵히 서있다. 바라보는 사람의 마음만 들락거리는 것을 볼 뿐이다.

마당에는 꽃도 나무도 있지만 이런저런 오브제도 한 몫한다. 태양광 등도 여기저기 꽂아두었다. 밤이면 마당 친구들에게 따뜻한 마음을 전한다.

그리고 보니 어울리지 않는 것은 하나도 없다. 꽃도 나무도 오브제까지 마당에 있으면 살아간다.

우리 정원은 계획 조경한 것도 아니지만 그럭저럭 어울린다. 마당 정원 어디서든, 좁든 넓든, 자리를 잡은 것은 서로 어울려 조화를 이룬다. 땅 위도 붐비지만 땅속에선 네 것, 내 것 없이 엉켜져 있다.

안 보인다고 없는 것도, 조용한 것도 아니다. 우아한 백조가 미동도 없이 떠있는 것처럼 보이지만, 수면아래 부지런한 발은 물과 떨어질세라 손을 놓지 않고 움직이는 것처럼 말이다.

더하지도 덜하지도 않게 적당하게 바라보고, 둘 수 있는 마음의 여유가
마당을 통해 자라기도 하는 것 같다.

흙을 만지고 흙과 더불어 살아가는 삶을 놓을 수 없는 이유기도 하다.

## 92화. 비 온 뒤 아침마당 (20230716. 일. 흐리다 갬)

아침에는 여전히 비가 내렸다. 멀리 보이는 강가에 운무가 하나 가득이다. 비로 인한 피해만 없었다면 한 폭의 수묵화 같은 정경을 감상하며 낭만을 즐겼을 것이지만 곳곳에 비로 인한 피해가 넘친다니 마음이 좋지 않다. 폭염이 오더라도 비는 그만 내리는 것이 어떨까 싶다.

삼색이는 효도하려는 건지, 새끼들 훈련시키는 것인지는 모르지만 밤마다 무슨 일 이 벌어지는 것은 사실이다. 며칠 전에는 두더지 한 마리를 잡아놓아 기겁케 하더니 오늘 아침엔 새 털이 많이 있다. 말을 해도 알아들을 수 없으니 새끼들이 좀 더 클 때까지 기다릴 수밖에 없다.

운무에 쌓인 아침정원을 걷다 풍성하게 핀 수국을 본다. '그래 수국이 있었구나~` 여름꽃의 대명사답게 수국은 꽃을 많이도 피웠다. 종류가 많아 꽃 모양도 각각인데 하얗게 송이송이 달린 수국은, 목수국 "라임 라이트"다. 몇 그루가 풍성하게 피어 화사하게 마당을 채운다. 이번에 일본에서 보니 정원마다 수국이 없는 곳이 없었다. 유럽문화를 좋아하는 사람들답게 수국을 많이 키우고 있었다. 우리 마당도 더 넓다면 여러 종류의 수국도 심고 싶다. 소담스럽고 수수한 아이들이 몽실몽실 달려있는 모습이 마음을 풍요롭게 한다.

데크 옆으로 쫙 심겨 있는 범부채꽃도 어느새 활짝 폈다. 비가 많이 온다는 핑계로 자주 돌보지 못했는데도 꽃들도 나무들도 자기 할 일은 멈추는 법이 없다. 핑계는 인간만의 특권(?)이라던가... 비가 오는 비가 오던,

햇살이 뜨겁든 간에 자연은 묵묵히 이어진다.

그래서 세상도 매일 새롭게 움직이고 돌아가는 것이다. 나 같은 게으름뱅이만 있었다면 '오늘'이 있겠는가 말이다. 내일은 채마밭에 오이와 가지들을 돌봐야겠다. 얘들도 정글 속 타잔처럼 영글었을 것이다

## 93화. 길냥이의 염치 (20230717. 월. 맑았다 오후엔 다시 비 옴)

오늘 아침도 저 멀리 산에서 찾아온 운무는 마당을 날개로 덮고 있다. 밤 비에 젖은 초목들이 안쓰럽기라도 한 듯...

며칠 동안 집밖으로 나오지 못한 강아지 셋을 데리고 동네 산책을 나섰다. 한 바퀴 돌다 마침 친구가 집에 있어 친구네를 들렀다. 연로하신 아버님을 모시고 있는 친구는 감자전을 부치고 있었다. 잠시 들어가 감자전과 참외를 먹고 담소를 나누다가 나왔다. 금방 나오길 잘했다. 집에 올라가자마자 빗방울이 다시 떨어졌다. 찰나의 포착으로 아이들에게 잠시라도 바람을 쐬게 해 좋았다.

비는 하염없이 내리지만 삼색이 냥아기 들은 데크 위에서 장난치며 놀고 있다. 삼색이가 냥아기에게 젖물리다 눈이 마주쳤는데 뭐라고 말하는 듯하다. 장마 기간에도 저들 편히 쉴 곳과 먹을 것을 제공해 주는 것에 대해 고맙다고 하는 건가? 듣고 싶은 내 생각대로 삼색이는 말하고 있는 것인가? 그러고 보니 삼색이가 새끼 4마리를 데리고 들어온 때부터 깜냥이와 콧선생은 잘 오지 않고 있었다.

길냥이 세계에서도"염치"라는 것 있는지…한 집에 입이 너무 많아져, 저들 스스로가 알아서 조절하는 것인가? 물론 인간의 생각이지만.

"깜냥아 미안해하지 말고 밥 때는 집에 와서 먹어~너희들에게 한 끼 식사 제공할 마음, 아직은 있단다. 삼색이도 아가들 클 때까진 미안해하지 않아도 돼 ~"

나의 소소한 정원일기의 단골 출연자인 길냥이 일가 ~

출연료는 못 주더라도 한 끼 밥은 정성으로 제공해 주고 픈 마음이다.

## 94화. 꽃피우기 시작하는 배롱나무 (20230718. 수. 종일 비)

이번 장마에 유명을 달리 한 분들을 추모라도 하듯 비는 하루 종일 추적거리고, 마당은 울적한 마음을 빗물에 절구기라라도 한 듯 더 짙 푸르다.

그래도 모든 것의 끝은 있는 법... 다음 주는 이 장마도 끝나지 않겠는가?

코스모스는 담장 밖에만 두고 마당에서는 뽑아버렸는데 담 아래 꽃이 핀 코스모스가 보인다. 이른 가을이 벌써 왔나 싶지만 요샌 여름에도 코스모스가 핀다. 꽃이 지면 뽑아야 되겠다. 채마밭에는 토마토 잎이 너무 무성해 가지와 오이를 찾아내기 힘들다. 해가 나지 않으니 채소와 열매들은 채 익기도 전에 물러지고 상해버린 것도 많다.

대문 옆 큰 배롱나무가 처음으로 분홍꽃을 피웠다. 장마가 끝나면 활짝 펴가며 가을을 기다릴 것이다. 배롱나무아래 나리꽃 모양의 백합이 꽃을 피웠다. 인터넷 사진으로 검색해 보니 당당한 백합이다. 나팔모양은 아니지만 빨갛게 크고 고개 숙인 예쁜 백합이다. 비가 그치면 백합 종류가 얼마나 되는지 세워봐야겠다. 흰 백합, 노랑 백합, 빨강 백합, 주홍백합, 분홍백합, 겹 백합... 동무들이 많아 외롭지는 않겠다.

비가 그쳐도 필 아이들이다. 봐주는 이가 있든 없든 피고 지는 것은 계속된다. 한쪽에는 꽃이 다 떨어져 잎이 무성한 초록 병정 백합대들이 대열해 있다. 꽃은 져도 보이지 않는 알뿌리를 키우기 위해 초록 병정들은 누렇게 될 때까지 열심히 일할 것이다. 생명의 피움은 성장으로 이어지고 시듦은 새로운 탄생으로 귀결된다.

자연 속에 살면서 먼저 배우는 것은 조화와 순응의 반복 속에 새로움이 있다는 것이다.

# 95화. 한결 같은 로즈메리 (20230720. 목. 모처럼 햇살 좋은 날)

어제처럼 덥다. 비 오지 않으면 더운 7월도 비와 함께 하순으로 접어든다.

앞정원 산딸나무 옆에 커다란 로즈메리가 있다. 3~4년생 아이를 사서 심은지가 여러 해 되었으니 나이가 못 돼도 여덟 살은 된 아이다. 로즈메리 향을 좋아하고 바비큐 할 때나 고기 절일 때도 뜯어서 잘 사용하는 목대 굵은 로즈메리 나무다. 우리 지역은 바람도 세고 눈도 많은 워낙 추운 곳이라 그래도 여러 해 동안 제 자리를 지켜주어 고마울 따름이다. 12월이 되기 전에 잠복소로 잘 싼 후에 삼각형 미니 온실을 덮어두면 추운 겨울도 잘 견디어 낸다. 겨울철에도 해가 좋은 날엔 온실을 열어 햇살도 쬐여주고 해지면 닫고 정성을 많이 기울인다. 혹여라도 온실을 열어뒀다 저녁에 닫지 못하면 한방에 갈 수도 있다. 3월 말까지, 꽃샘추위도 조심해야 한다. 올해 4월 초에 온실을 제거하며 보니 그 추운 겨울에도 조금씩 자란 것을 알 수 있었다.

정성을 기울여 보살 핀만큼 향기 나는 초록 물결은 언제 봐도 마음을 푸르게 해 준다. 여름에야 워낙 초록세상이라 별 표가 나진 않지만, 로즈메리는 상록수처럼 늘 푸르다. 향기도 좋지만 늘 푸른 모습, 화려한 꽃은 없어도 한결같은 모습을 사랑하는 것 같다.

그런데 자세히 보면 이 아이 주변이 너무 복잡하다. 뒤쪽으로는 죽었는지 살았는지도 모를 홍매화가 있고 사방으로 치고 올라오는 백합도 여러 개다. 로즈메리와 바짝 붙어 심겨진 설난은, 로즈메리 목대옆으로 넓은 잎을 펼쳐 불편한 자세로 아름다운 꽃도 피우고 겨울이면 땅속에서 로즈메리와 공생하는 것 같다. 한그루 로즈메리는 여러 식물들과 어울려 있다. 마당은 서로 어울려 살아가는 곳이고 보이지 않는 땅속뿌리들은 또 어떻게 엉켜있을지도 모르지만, 로즈메리가 너무 힘들지 않을까는 생각도 든다. 올 가을에는 백합 구근도 캐내고 홍매화도 다른 데로 옮겨 로즈메리가 더 당당하게 자리 잡도록 주변 정리를 해줘야 할 것 같다.

## 96화. 함께 가는 그림일기 (20230721. 금. 화창하고 맑은 여름 날)

3월 5일 첫 그림일기를 시작할 때 '이 스케치북의 마지막 페이지까지 잘 갈 수 있을까?' 싶었는데 오늘 마지막 페이지에 스케치를 하고 있다. 감사한 일이 아닐 수 없다. 생각으로 덮어두지 말고 부족하더라도 시작하는 것이 행복하다는 것을 다시한번 깨닫는다.

아침 일찍 보리 샐리 승리와 함께 강가 테크길 산책을 다녀왔다. 우거진 신록 사이로 간간이 보이는 푸른 하늘이 앞길을 밝혀주는 것 같았다.

"아트라베르시아모" '먹고 기도하고 사랑하다'에서 기억나는 리즈의 말...오늘 같은 날 딱 어울리는 말이 아닐까 싶다.

흙과 더불어 마당을 가꾸는 삶은, 자연에의 작은 회귀이며, 혼자 가는 길이 아니다. 주변의 사랑하는 이들은 물론, 생명 있는 모든 것들과 교감하고 나누고 함께 하기에 이어지고 연결되며 남아 있을 수 있는 것이다.

오늘 그림일기 1권을 맺음 하며, 쭉 이어질 수 있도록 다짐해 본다.

"아트라베르시아모! 함께 건너가자!"

호흡하는 모든 친구들과 함께 나아갈 것이다.

따뜻한 삶으로 건너갈 것이다.

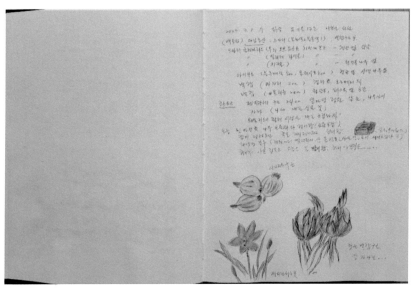

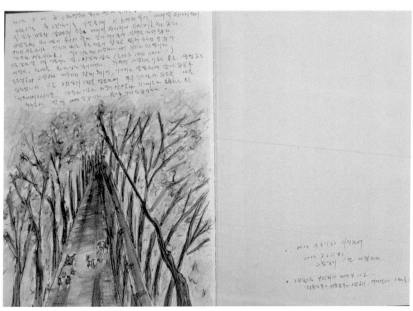

## 97화. 정원사우 (20230727. 목. 화창하고 더운 날, 장마종식)

그림일기 2권을 시작한다. 2권에는 찌는 듯한 여름 풍경과 익어가는 가을, 쓸쓸히 문 닫을 늦가을과 매서운 추위에 하얀 눈으로 그려지는 새로운 정원 풍경이 그려질 것이다.

3주 전에 깎은 잔디가 벌써 많이 자라 깎았다. 나의 전용 잔디깎이로 ~~. 가볍고 딱 쓰기 좋고 덜 위험한 나일론 줄(줄칼?)로 되어 있는 잔디깎이다. 명색이 공구로 유명한 "보*" 집안 출신이라 듬직하기도 하다. 처음엔 로망을 실현하느라 밀고 다니는 잔디깎이를 썼지만 무거워 쓰기가 힘들었다. 물론 남자들은 좋아한다. 결국 울퉁불퉁한 곳을 밀다 날이 망가져 수리는 했지만 창고신세 중이다. 인터넷으로 검색해 딱 좋은 잔디깎이로 구입했다. 우선 가볍고 안전한 편이다. 칼날이 아니라 나일론 줄이 돌아가면서 깎아준다. 깎이면서 줄은 감겨 교환도 가능하다. 날이 더워 다 밀지 못하고 앞마당만 밀었다.

옛 선비에게 '문방사우(文房四友)' 있었다면 흙과 더불어 정원을 가꾸며 사는 요즘 나의 생활엔 '정원사우(庭園四友)'가 있다. 호미, 잔디 깎기, 갈퀴, 전정가위 다. 물론 으뜸은 호미겠지만 잔디 깎기가 없었다면 얼마나 힘들었을까 생각하니 역시 고마운 친구다. 전정가위는 획을 긋는 붓처럼 필요한 곳곳을 정리해 준다. 갈퀴는 마당 부산물들을 치워주고 흙을 북돋워 준다. 생명의 흙으로 채워진 마당정원에서 온갖 나무와 꽃들로 문필의 꿈을 펼치게 해 ~~주는~~ '정원사보(庭園四寶)'다.

아침이슬로 파릇파릇 촉촉해진 잔디와 풀이지만 깎여 나가는 즉시 실오라기처럼 바싹 말라버린다. 갈퀴로 긁어내도 대부분 빠져버릴 정도다. 빠져나가는 것들은 제자리에서 거름으로 살아가도록 둔다. 지금 안 깎였다고 좋아할 것도 없다. 잘 자라면 결국 깎이게 될 것이고 깎이는 순간, 마른 장작보다 가볍게 날아갈 테니 말이다.

# 98화. 발레리나 배롱씨 (20230801. 화. 폭염에 갇혀버린 날)

덥다. 덥다. 나가도 덥고 들어와도 덥다. 에어컨이 없었던 옛날엔 어찌 지냈을까 싶다. 내리쬐는 햇볕에 초목들도 신음하고 있다. 이른 아침에 관수해도 저녁이면 늘어져 있는 마당 아이들. 땡볕에는 물 주기 어렵다. 잎이 마를 수 있기 때문이다.

찌는 듯한 더위속에도 배롱꽃은 절정이다. 흰 배롱, 분홍 배롱과 봄에 사다 심은 붉은 배롱도 화려한 모습을 자랑하고 있다.

마당은 작은 공연장이다. 초록 무대에서 각색의 발레복을 입고 자유로운 연기를 하고 있는 무용수들로 가득 찬...

문득, 몇 해 전 여름 시카고 출장 때 잠시 들렀던 밀레니엄 파크의 야외 음악회가 떠오른다. 뜨거운 여름에도 자유와 음악을 향한 열정 나들이... 즐거웠던 추억을 곱씹어 본다.

~ 발레리나 배롱씨 ~

파란 하늘 지붕, 푸른 관객으로 둘러 쌓인 초록 무대
초목들은 삼삼오오 자리 잡고 준비된 공연을 즐긴다.
뜨거운 햇살을 막아주는 하얀 구름 파라솔아래,
연주자도 관객도 하나 되어
하루종일 완벽한 공연이 펼쳐진다.
보는 이들 모두를 위한 여름휴가시즌,

멀리 강가까지 울려 퍼지는
생상의 백조선율은 시카고 심포니가 부럽잖다.


하얀 발레복을 입은 무용수들은
초록 무대 끝까지 스트레칭 후
포지션을 취한다.
탕, 탕, 탕,
'보이지 않는 것까지 보여주고 싶다'던 드가의
고개 숙인 무용수들도
당당하게 자유를 펼치는 작은 마당무대,
맘 아픈 사연일랑 멀리 던져버린
발그레 앳된 얼굴들은
아라베스크,
원하는 만큼 하늘 계단을 오르락내리락...
오늘에 이른다.
꽃잎을 흔들거리며 여린 무용수를 온몸으로 건사하며
붕붕거리는
발레리노는
이 가지 저 가지로
발롱, 발롱, 발롱,


초록 마당무대에서 햇살로 익어가며 숨죽여 보는 공연,
가둘 수 없는 꿈의 무대를 펼치는 무용수들,

모두가 발레리나다
모두가 발레리노다.

## 99화. 풀 꽃 (20230803. 목. 올 들어 가장 덥다는 날)

폭우 때문에 염려하던 날씨가 폭염 때문에 걱정해야 할 정도로 바뀌었다. 실내에선 에어컨 덕분에 그렇게 더운 줄은 모른다. 거실 창밖에 뜨거운 아지랑이가 간들거리며 올라오는 것을 보고 눈치챌 뿐이다. 장마가 그랬듯이 폭염도 제 할 일을 하고 있다.

찜통 사우나에 달궈진 마당 몸은 지난 주 비가 많이 왔어도 갈증에 괴로워한다. 그러나 이 또한 지나갈 것임을 알기라도 하듯 초목들은 묵묵히 받아들이고 있다. 한 달 전에 옮겨 심은 서부 해당화는 자리 잡아 잘 자라고 있다. 옆으로는 풀이 가득하다. 초록 풀 사이로 파란 꽃이 보인다.

자세히 살펴보니 풀꽃이다. 이름도 모르는 풀인데 마당 곳곳에서 볼 수 있는 흔한 풀이다. 파란 꽃을 예쁘게 피웠다. 풀도 자세히, 그것 하나로만 본다면 예쁜 것도 많다.

마당에 자리 잡고 살아가는 초목들은 출처가 있고 정성을 기울여 돌본 아이들이라 보살피지 않으면 표가 난다. 거기에 비해, 풀, 잡초는 인간에 의지와 상관없이 아무데나 제 마음대로 자란다. 풀 중에서도 사람에 의해서 유용성이 발견되어 풀에서 식물로 되는 경우도 더러 있다. 풀도 봐주는 사람에 따라 달라질 수 있다는 말이다.

살아가는 것은 잡초에서 초목으로, 초목에서 잡초로도 언제나 변 할 수 있다. 때론 풀처럼 잡초처럼 버티기만 해 보자며 이어 가기도 한다. 보는 대로 뽑아버리는 풀이지만, 오늘따라 미안한 마음도 살짝 들어 '풀꽃' 시도 읊조리며 나름의 소소한 시를 써 본다.

– 마당 풀꽃의 독백 –

뽑아내면서
미안해 하지마
내일이면 다시 찾아올 테니
나는,
네 옆에서 견뎌온
풀꽃이니까...

## 100화. 가을꽃 메리골드 (20230804. 금. 폭염 속 뜨거운 하루)

연일 이어지는 폭염에 온 나라가 신음하고 있다는 보도. 비 오면 너무 와서 걱정이고 더우면 너무 더워 난리다. 일기日氣는 중용이 어렵다고 말하고 있다. 물론 이렇게 된 데는 인류발전사의 기여도가 제일 크다고 할 수 있겠지만 인간의 삶이 고통스러운 역사를 통해 성장한 것처럼, 함께 살아온 지구 역시 성장(노쇠?) 해 왔음을 보여주기도 한다. 기우제는 고대 역사와 함께 해왔고 일기를 주관하는 것은 제왕의 큰 의무라도 되는 것처럼 믿어져 온 그 시절부터...

마당의 메리골드, 가을이 성큼 다가왔음을 알려준다. 나는 메리골드 꽃을 좋아한다. 시골마당 지천으로 깔려 있는 꽃이고, 독특한 향을 풍기는 날카로운 옷에 흔한 얼굴을 가지고 있지만 누구도 범접할 수 없는 독특한 매력이 있다.

메리골드는 어디 있어도 표가 난다. 쉽게 자라고 널리 퍼지며 무리 지어 살고 잘 뽑히기도 한다. 처음 마당을 가꾸기 시작할 때는 온 마당 주변이 메리골드로 덮였을 정도로 많았다. 성리해 가면시 많이 뽑아냈지만, 만두 보자기에 들어앉은 씨앗은 널리 퍼져 곳곳으로 날리며 해마다 잊지 않고 다시 피어난다. 마당에 메리골드가 피기 시작하고 칠자화 하얀 꽃이 올라오면 가을이 온다는 소리다.

메리골드가 많이 있는 곳엔 뱀이 오지 않는다고 한다. 아마 독특한 향 때문인지도 모른다. 우리 마을은 강주변이라 물뱀도 많지만 아직 집 주변에선 뱀을 본 적이 없다. 메리골드 덕분인지도 모른다.

이태 전에는 호기심으로 메리골드를 말려 차도 만들어 보았는데, 제대로 만들지 못해서인지 자세히 보니 눈에 띄기도 힘든 움직이는 것들이 더러 있어 놀랐다. 쉽게 만들어지는 것이 어디 있으랴. 꽃차를 만드는 것도 보통 어려운 일이 아니라는 것을 실감한 경험이었다.

그런데 겉으로 보기에는 벌레 없을 것 같은 이런 허브에도 공생하는 것들이 있는 데는 이유가 있다. 약을 주지 않으니 말이다. 시골생활하시는 분들은 다들 실감하실 것이다. 조금이라도 크게 농사짓는다면 약을 주지 않을 수 없다. 생명이 자라는 곳에는 익충도 있지만 해충도 있고, 해충은 익충보다 생존력도 더 강하다. 그리고 해마다 새로운 종류의 해충들도 눈에 띈다. 세상이 변해가는 것을 먼저 반영하는 곳이 어쩌면 자연인지도 모른다. 약을 주지 않고 재배하기 위해서는 그만큼 더 정성과 보살핌을 쏟아야 가능한 일이다. 메리골드 꽃차! 정성과 사랑으로 올해 다시 한번 도전해 보고 싶기도 하다.

마당생활을 즐기면서 잘생기고 큰 열매나 채소를 바라는 것은 언감생심이다. 꼭 주인처럼 생긴 열매들에 만족하고 채소들도 조금씩이라도 자라주는 것에 만족해야 한다. 직접 재배해서 먹으려면 못생기든지 다른 생물에게 양보한 부분, 시장에서 파는 상품에 비해 뭐라도 모자란 부분이 있지만, 자라주는 것에 감사하고, 금방 거둬 요리할 수 있음에 감사하고, 투박해서 정겨운, 감사하는 삶으로 즐길 뿐이다. 그런 것들을 극복하고 개선해서 좋은 제품을 생산하는 분들이 존경스럽다.

로즈메리는 이제부터 시작이다. 깊어가는 가을까지 향기롭고 건강하게 피어 주며 떠나간 백합향을 대신할 것이다.

## 101화. 탈피한 베롱나무 (20230807. 월. 노래보다 더운 여름날)

마당 초목들에게 괜히 미안할 정도로 더운 날이다. 날씨는 어찌할 수 없고 해 줄 수 있는 것이라곤 물로 샤워시켜 주는 일뿐이다. 하지만 그마저도 햇살 뜨거운 대낮에는 할 수 없다. 잎이 마를 수 있기 때문이다. 아침에 물을 줬어도 낮이면 땅이 바싹 마른다. 마당의 초목들도 매일 관수하게 되면 습관이 된다고 한다. 몇 해 전 주말 생활을 할 때도 일주일 만에 왔어도 완전히 말라죽은 아이들은 없었던 것 같다. 화분에 있는 아이들은 말라죽어도 땅에 심어져 있는 아이들은 웬만하면 말라죽진 않는다. 나무 잎도 마르고 잔디도 바스러질 듯 말라버린 모습이었지만 물을 주면 다음 날 아침엔 초록 화색이 돌아 뿌리를 내리고 사는 식물들의 흙과 교류하는 생명력의 신비에 감탄하기도 했다.

대문 담장 옆 배롱나무는 탈피를 해 멋진 옷을 입고 다른 나무에선 보기 어려운 자태를 뽐내고 있다. 춤추는 꽃도 예쁘지만 제 살까지 벗겨 가며 만드는, 몸도 아름다운 아이다. "나는 호피 옷을 입은 나무 호랑이로소이다"라고 말하기라도 하듯, 매끈한 몸매사이로 수피가 벗겨지며 하얗고(약간은 노란) 보드라운 속살이 드러나고 갈색반점의 얼룩으로 호피 옷을 입고 있는 모습이다.

어찌 보니 기린의 무늬처럼 보이기도 해 케냐에서 얼굴 맞대며 만났던 기린이 생각나 당시 스케치한 것을 찾아보았다. 비교해 보니 기린 옷의 무늬는 도형무늬 같아, 배롱나무는 기린보다는 호랑이 옷에 가까워 보인다.

아니, 둘의 무늬를 섞어 놓았다고 할까? 하지만 바로 옆에서 봤던 기린의 기다란 목은 왠지 배롱나무의 수형과 비슷하다는 느낌이 들었다.

배롱나무는 여름을 환히 밝히는 꽃도 아름답고 수형도 멋진 나무! 초목이지만 자연의 동무인 동물의 추억도 불러오니 더 멋진 아이 아닌가! 마당에는 여러 그루의 배롱나무가 있지만 아직은 어리고 이 아이는 키가 2미터가 조금 넘어 수형도 제법 잡히고 수피도 아름답다. 5~6미터까지 큰다고 하지만 작은 마당이라 3미터까지만 커도 괜찮겠다.

여름 마당의 자연은 고통도 주지만 견디고 함께 할 수 있는 친구들도 많다. 배롱나무와 더불어 칠자화도 하얀 꽃을 피웠다. 배롱나무와 칠자화는 대표적인 여름 꽃나무 자매다. 꽃이 피기 시작하면 백일을 간다는 배롱나무나, 여름에는 하얀 꽃을 피우고 9~10월에는 꽃받침이 붉은색으로 변해 일 년에 두 번 꽃을 피우는 모습의 칠자화. 중국에서 황후의 꽃으로 사랑받는 국가 보호종이라고 한다.


~ 오늘은 호피무늬의 수종 배롱을 기리며 ~

## 102화. 들깨 옹심이 칼국수와…(20230815. 화. 무덥고 화창한 날)

푹푹 찌는 날씨다. 너무 더워 마당 풀 뽑기도 힘들다. 여름날엔 이른 아침 아니면 마당에서 일할 생각은 언감생심이다. 이슬이 채 마르지 않은 새벽엔 약간 촉촉한 땅 기운에 군데군데 자리 잡은 풀을 뽑아낼 만하다만, 화들짝 햇살이 올라오면 그만두는 것이 낫다. 농사를 전업으로 한다면 그것마저 힘드니, 농사짓는 분들의 고충을 생각한다면 사 먹는 농작물이 귀하고 고맙지 않을 수 없다.

지인이 '이열치열'이라고 들깨옹심이 먹으러 가자고 점심약속을 잡았다. 동네에서 30여분 걸리는 제법 먼 곳에 있지만, 맛집으로 소문나 지역에선 유명한 식당이다. 진한 들깨국물에 감자를 갈아 만든 옹심이에 녹차칼국수가 살짝 들어간 맛있는 토종 음식이다. 도톰하게 잘 구워진 감자전과 콩나물, 무장아찌, 살짝 신김치와 먹으면 아주 맛있다.

작년 가을에 미국 사는 친구가 여러 해 만에 나왔었다. 설악산에 있던 친구를 집으로 픽업해 오다, 그 식당에 들렀다. 친구는 너무 맛있게 먹고, 다음날 안동으로 여행하고 온 후에도 생각난다고 해, 이틀 저녁 연속으로 들깨옹심이 칼국수를 먹었다. 오랜만에 와서 맛있는 음식탐방도 많이 했지만, 이 음식이 제일 맛있었다고 입이 마르도록 칭찬했다. 돌아 간 후에도 자신의 소울푸드 같아 가끔씩 생각난다는 얘길 하곤 했다. 구수하고 진한 들깨 국물에 누구나 좋아하는 감자로 만든 옹심이, 어린 시절의 추억도 담긴 한국적인 맛이 아닐 수 없다.

가는 길의 풍광도 즐기면서 한적한 산밑의 소박한 식당에 들어서면 서투른 야외 정원도 잠시 즐길만하다. 넓은 산아래 주인의 손으로 조금씩 다듬고 가꿔지는 소탈한 정원이 부담없다. 흙 담벼락엔 나무 파렛트로 연결한 벽을 세워 여러 식물들을 키워가고 연못을 만들어 오리들도 놀고 있다. 요즘 맛집이나 특히 외곽의 유명 식당들은 멋진 조경과 풍광으로 맛있는 음식을 즐기는 사람들의 오감을 충족시키지만, 이곳은 넓은 마당에 투박한 자연 그대로의 여유가 느껴지는 평안함을 누릴 수 있는 곳일 뿐이다.

마당을 즐기게 하는 또 다른 볼거리가 있다. 넓은 정원 한편에서 개를 여러 마리 키우는데 다양한 '시고르자브로'종이다. 특이한 점은 풀어놓고 키운다. 작년에 왔을 때도 대여섯 마리가 여기 저리 쉬고 있었다. 강아지도 있고 배부른 어미개도 있는데 여러 가족이다. 풀어놓고 키워도 달아나거나 짖는 아이가 하나도 없다. 자유를 누리고 살아 그런지 짖어대거나 방어하지 않는 모습을 보여준다. 개들이 순하니 손님들도 좋아해 식사 전후, 마당에서 개들과 놀아 주기도 한다. 음식도 맛있지만, 이런 분위기도 좋아 가끔씩 찾는 곳이다.

오늘 와서 보니 아이들이 어디로 분양됐는지 다른 곳에 있는지, 세 녀석만 식당 앞에 돌로 만든 돌 툇마루에 드러누워 잠을 자고 있었다. 그 모습이 얼마나 정겹고 평화로운지, 더운 날씨지만 오가는 사람들이 웃으며 사진 찍느라고 바쁘다.

자유롭게 맘껏 뛰어다니고 즐길 수 있으니 사람들이 있던 없던 상관 않고 평안을 유지할 수 있는 것이다. 자신의 출신도 중요하지 않다. 고양이는 본성을 지키기 위해 머는 깃보나 사유를 택하지만, 이미 자유를 얻은

217

멍멍이들은 꾀죄죄한 외모로, 멋진 관객들의 관심도 상관없다는 듯 따끈한 돌침대 위에서 오수를 즐기고 있었다. 어디쯤 일지도 모를 인생 정점에 오르기 위해 애쓰는 우리들에게 적절히 쉬어가라고 말이라도 하듯 "드르렁"거리면서...

　뜨거운 들깨 칼국수를 시원하게 먹은 고마움이상으로 멍멍이 삼 남매(?)가 주는 여유에 평화로움까지 얻어 온 날이었다.

# 103화. 모란에게 바치는 작은 노래

시간은 잡아도 놓아도 제 갈길로 흐르는 법, 결코 오지 않을 것 같았던 계절이지만 하룻밤 새 차가워진 아침 공기는 언제나 그랬듯이 제 역할을 해내는 자연의 인사를 건네는 쌀쌀한 아침이다. 마당 구석구석을 채웠던 초록 물결은 점차 누런 잎으로 가을이 찾아옴을 알려주고 붉게 타다 떨어지기 시작한 홍단풍옆의 호젓한 아기 청단풍은 얼굴을 완전히 붉히진 않았다.

여름 내내 무겁게 고개 숙이며 아이를 키워가던 모란은 말라가는 몸속에서 단단하고 까맣고 둥근 아이들을 내보내기 시작한다. 해산의 고통을 넘어 제 몸을 바스라뜨리며 떨어지는 모란의 아이들을 두 손으로 소중히 받아내며... 고마운 마음을 보내 본다.

모질었던 겨울 추위에도 죽은 듯 살아내고 꽃샘추위가 매섭던 이른 봄, 얼어있던 하얀 대지를 뚫고 뾰족이 올라오던 순이었다. 고개를 내밀기 시작했던 때가 언제였을지도 가늠할 수 없을 정도로 하루가 다르게 커져가던 너의 잎으로 봄 마당은 분주하기만 했다.

농익어가던 어느 봄날, 보름달보다 크고 햇살보다 환하고 커다란 웃음으로 보여준 너의 얼굴은 기다리던 내게 기쁨을 준 것은 물론 온 마당을 설레게 했었다.

모란이여!

너는 충분히 수고했다.

오월의 여왕 하얀 모란! 누가 뭐래도 우리 마당의 여왕은 너였다. 비록 열흘 남짓했지만, 눈부시게 화려했던 너의 자태는 짧은 기간에도 순백한 화려함으로 온 마당을 물들게 했고 부지런한 벌들에게조차 넉넉한 꿀을 제공했다. 점점 뜨거워지던 바람은 새털처럼 너의 잎을 널려 너의 분신은 마당곳곳에서 내년의 거름으로 바쳐주었다.

떠나간 꽃잎들 속에 감춰졌던 꽃대에선 너의 결실이 자라기 시작했고 유난히도 뜨거웠던 올여름 햇살아래서 땀띠도 상관없다는 듯 으스러지도록 온 가슴으로 껴앉고 키워왔다. 이제 까맣게 타들어간 가슴처럼 토실한 너의 흔적은 내년을, 또 내년을 위한 거름이 될 것이다.

알알이 하나하나씩 털어 여러 집으로 보내기도 했지만, 다 거둬들이지 못한 아이들이 언제나 더 많았다. 주변에 떨어진 씨앗들은 따뜻하게 덮어 주는 손길도 받지 못했지만, 모진 겨울 하얀 이불 조각으로 견디고 봄이 오면 경주하듯 여기저기서 올라왔다.

네가 그리도 모진 겨울까지 견뎌낸 것은 동면의 시간에서도 쉬지 않고 땅속깊이 여린 뿌리를 내렸기 때문임을 안다. 얼어붙은 대지에도 너는 굴하지 않고 딱딱한 껍질을 뚫고 생존의 뿌리를 내렸기에 여린 몸으로도 바깥세상의 풍파 따윈 담담하게 웃어넘길 수 있었다. 어찌 보이는 떡잎 하나로 가늠키나 했을까?

누가 너를 부귀의 상징이라 했던가!

화려한 꽃송이와 풍성한 자태는 여왕의 위엄으로도 이미 넘치건만 올해도 소중한 씨앗을 남겨주는 너의 모습은 자식을 위해 매 순간 가슴 졸이며 기도하는, 결국은 자신조차 내주고 마는 어미로 살아 있음이 먼저임을 보여준다. 나는 자연의 은혜를 덧입어 감히 말한다.

모란이여! 너는 충분히 수고했다!

# 104화. 감 이야기

나이를 묻지 않아도
홍조 띤 얼굴
세월을 뚫고 찾아온
절절하기에 더 또렷한 연상들...
하나하나 주워 담으며
이제는 몇 해인지 상관 않는다.

어머니,
외할머니,
그 위로 할머니,
내리사랑으로 이어진 감은
구부러진 몸만큼.
가을에야 만나는 맛있는 아이만은 아니다.

바로 먹을 수 없었기에
밤낮 공들여 손에 쥐여준
늦여름 떫은 감은
사랑으로 삭힌 주전버리였고,

가지가 휘도록

묵직하게 열렸던 대봉은
하얀 눈 내리는 밤, 화롯가에 둘러앉은
아이와 어머니와 그 어머니를
끈끈하게 이어준 이야기였다.


치사랑,
생각만으로도 먹먹한 가슴
한입 베물면
눈물인양
촉촉하게 스며드는 홍시는
속 깊은 커피처럼 다정하게
깊은 숨을 내려준다.


"감은 다 따는 게 아닌기라"
메마르고 이기적인 세상살이에
채우기보단 나누며 살아야 함을
아이에게 보여주시던
할머니의 감나무.


감은
내리사랑이며 나눔 사랑이다.
지난해도 올해도 그렇듯이
돌아오는 해도

아직은

세상이

사랑으로 훈훈하다는 것을

새들까지도 알게 하는...

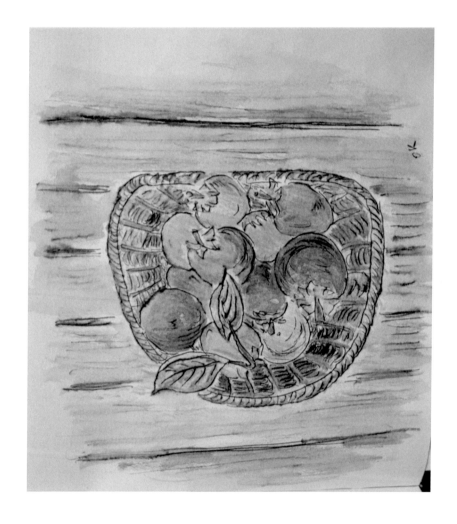

# 105화. 떠나기 아쉬운 철쭉

아침 산책을 나선다.

가을바람에 더러 누렇게 익어가는 철쭉이파리들

그래도 아직 떨어지지는 않는다.


출근길에 부지런한 시내버스가 뿜어내는 먼지마저

모시적삼처럼 시원하게 철쭉잎을 한 겹 싸고도는데,

불어오는 바람사이로

고개 젖히며 활짝 웃는 얼굴이 보인다.


실핏줄이 터질듯한 얇은 피부,

수줍은 얼굴의 분홍꽃 아이 하나가

노랑 꽃술,

입술을 흔들거리며 웃고 있다.


떠나려는 가을에

홀로 피어난 이 아이는

나처럼 성급한 내년 아이였을까?

지난봄 화려했던 추억을 잊기 힘들어

환생한 그대였을까?

## 106화. 가을 꽃, 남은 아이들

가을을 반기는 것일까.
아쉬움에 왈칵, 몸 바쳐 잡으려는 것일까.
차가운 아침바람에도
가시꽃은 빨간 미소를 띤 시린 얼굴로
흔들리는 몸을 지탱하고 있다.

늦봄 활짝 피었던 수국은,
보내버린 분신이 그리워
어린 꽃잎 하나하나 아쉬운 몸짓으로
꽃낙엽 아름다운 자태로
정원무대에서 발레를 한다.

백일동안 예쁜 모습을 보여준다는 백일홍,
백일도 훌쩍 넘은 오늘까지도
찬바람마저 무색하게 활짝 웃는 고마운 너
부지런한 아침길에
오고 가는 사람들, 바쁜 아이들,
펼쳐질 고운 하루를
감사함으로
열어 주고 있다.

# 107화.  소나무의 독백

바람 한줄기로도 추스를
몸뚱이만 남겨진 채
걸쳤던 옷이 홀라당 벗겨졌네요.

내가
누군지
무엇이었는지 잊기로 했어요.

봄 여름 가을
한 해 두 해 그 이듬해까지도,
나를 환히 밝혀주었고
풍성한 결실로 인정받게 해 주었던
모든 것으로부터 떠나기로 결심하면서...

껍데기만 남은 이 모습이
오히려
처음의 나였는지도 모르겠어요.

스쳐가는 바람 유희조차 투정 않고
의리와 절개로 다져진 사군자조차 부럽지 않았던

나는
올라갈수록
구부러질 줄 알았고,
일 년 사시사철
지지도 바래지도 않은,
세월이 입혀준 초록 덧칠로
단단히 만세 하는
"있는 그대로'의 꽃이었어요.

이제
초자아를 찾기 위해
청춘의 푸름일랑 죄다 버리고
길고 긴 동면의 길을
가녀린 몸뚱이 하나로 나아갑니다.
언제나 그랬듯이
"나 자체로" 꽃으로.

# 108화. 구절초

찬바람 모질고,
상고대 내려앉은 아침 뜨락
꼿꼿한 자태로 기다렸다는 듯
여러 겹 연보랏빛 미소를 띤
너는
모진 세월 아홉 번 굽이 굽이돌아
이어져온 어머니의 사랑 꽃말
구절초.

어떤 미련이 이라도 곱기에
있는 듯 없는 듯 보낸 지난 세월,
화려했던 초목들은
몸 털며 긴 겨울준비에 한창인데
너는 이제야
꽃이었음을 한껏 뽐내고 있다.

사실 너는 언제나 꽃이었다.
무엇도 상관없이
제자리에 꼿꼿했던 암묵의 시절에도
마당을 물들인 고요한 향기였고

이제 봐줄 이 없는 스산한 계절도 아랑곳 않고
난 바 존재만을 즐길 줄 아는
아홉 구비 이겨 나온
진정한 구절초,
보는 이의 마음까지 다져주는
고마움이다.

# 109화. 겨울에 앞선 장미

해마다 겨울이면 짚으로 엮은 옷을 둘러주며

내년 봄에 다시 만날 갈망도 함께 입힌다.

인정받지 못하는 설움에도

한 번도 거르지 않고 봄 인사를 하던 장미를

아둔한 나는 그새 잊었던가.

아니, 잊은 건 아니었다.

겪어보지 않은 올해의 혹독한 추위는

어떤 모양으로 다가올지 몰라

사랑 핑계를 댄

나약한 인간이 염려를 반복하는 것이다.

주변을 돌아보지 못하고

스스로가 파놓은 골로 깊이깊이 들어가

존재하지 않는 현실을 갈망하다,

마침내는 모든 것을 얼려 사라지게 하고픈

동면 속의 반시 앞에서라도

장미는,

얼어붙은 잎과 가시로 뒤덮인 몸뚱이로도

봄에 피우고야 말 향기로운 의지를 다잡고

언 대지 속에 발꿈치를 단단히 디디고 서있다.

사랑의 짚갑옷만으로도 오히려 충분하다는 듯

붉게 멍든 몸으로 당당히 마주하고 있는데...

# 110화. 돌아보면 사랑인걸

사랑한다고 아무리 외쳐댄 들,
따뜻한 펼침이 함께 하지 않는다면.
허공만 돌고 도는 찬 바람에 불과하다.
천애고아 찬 바람은, 절절이 사무친 고독만 아는지
"사랑한다 사랑한다"를 반복하며 왈칵 달려들지만,
그럴수록 남은 옷까지 벗겨 버리며
막 나오려는 새순마저 여미게 할 뿐이다.
차라리 스스로를 낮추고 부드럽게 한번 돌아본다면
몰랐던 사랑들이 곁에 있다는 것을 알게 될 것을...

12월 중순이 무색하도록 수고한 남천은
아직도 빨간 잎에 더 붉은 열매를
주렁주렁 많이도 품어 있고,
옆의 동무 산딸나무는
가녀린 목대, 마른 가지만으로도
멋진 자태를 보여주고 있는데,

가만히 바람 잔 새,
꽃몽오리 품은 외 가지아래 붙어있는 하얀 솜털...
내년 봄을 기약하며 알을 숨겨둔 벌레집이다.

덜컥…

펴보지도 못한 꽃몽오리에게

미안하지만 잘라버린다.

아직도 제 세력만 펼치려는 바람은 알기나 할까?

사랑을 얻기 위해선

자신조차 버려야 한다는 것을…

# 111화. 엄마 1. 뿌리

날이면 날마다
행복한 만남을 가집니다.
오는 이, 가는 이
즐거운 사람, 서글픈 사람
어른 아이 할 것 없이
당신의
민낯을 밟고 지나지만
당신은
밟아 다져줌이 오히려 행복하다는 듯 잠잠할 뿐입니다.


"그저 니는 내를 디디고 올라서면 되는기라"
당신에게서,
바스러져 가루가 되어도
거름으로 받쳐주던 엄마를 봅니다.


나는
이끼 덮인 엄마를 바닥 삼아
걸어왔고 때로는 밟으며
바둥거리며 뛰어다니기도 했던,
치솟기만을 바랬던 어설픈 나무입니다.

바라는 것은 한 가지,
혹여라도
몸자락에 걸리어
넘어지지 않기 일 뿐...
어디서부터 어디로 뻗어 나갈지도 모를
뼛속까지 드러내어 주는
뿌리 엄마입니다.

## 112화. 엄마 2. 아기은행나무

분명 나는
엄마옆에서 당당하게 자라고 있다는데...
고개 들어 찾아봐도 엄마는 볼 수 없네.
어쩌면 다른 데서 날아온 아이일까?
이렇게도 작은데
엄마처럼 될 수 있을까?

지금의 모습에 주춤해져 있어도
분명 너는
살아있는 화석으로 인정받는
위대한 은행가문에서 탄생한
금쪽 은행아가!
홀로 날아와 뿌리내릴 수 없는 운명
엄마의 사랑뿌리에 엉켜 자라야만 하는
너도,
판다처럼 금방일 거라며
엄마는
그렇게 또 나를 보듬네...

에필로그 　　　　　정원은 어디에나 있다

　그림일기 제목을 "정원 가꾸기 마음 가꾸기 그림일기"로 정한 것은 지금
생각해도 잘 한 일인 것 같다. 마음 내려놓기, 천천히 살아보기, 슬로 라이
프를 실천하고자 마당 있는 전원 삶도 택한 것이기에.

　올봄 쓰기 시작한 그림일기 ~

　숙련된 조경사가 가꾸는 정원도 아니었고 초목들의 이름도 제대로 모르
는 초보정원지기가 조경을 공부하기 위해 시작한 것도 아니었다. 슬로라
이프 실현의 하나로 삶의 속도 역시 초목이 자라 가는 것처럼 천천히 여유
있게 곁을 돌아보고 나눔 하는 일상으로 돌아가 보자 시작한 일이었다.

　보이는 정원을 가꾸는 일이나 보이지 않는 마음 밭을 일궈가는 것도 같
은 맥락이었다. 자연과 더불어 함께 하는 일과에서 마음밭을 새로 개간하
고 때론 갈아엎기도 했다.

　일기(日記)라는 표현을 쓰다 보니 거의 매일 쓰려 노력했고, 별것 아닌
것에도 관심을 나누다 보니 "하루"라는 시간 안에 마당정원에서는 수많은
일들이 일어나고, 자세히 보고자 하니 순간순간이 다르게 변모하는 것을
알 수 있었다.

　그러기에 그림일기(日記)를 쓰면서도 소재의 빈궁함은 별로 느끼지 못
했고 지금까지 이어 올 수 있었다. 더구나 계획에도 없었던 도시 생활을
잠시 하게 되면서도 "마음 가꾸기"가 있기에 그림일기도 계속할 수 있으

니 또한 감사한 일이었다. 만고의 진리 "이 또한 지나가리라"를 작은 정원에서 읊조리며 웃을 날도 곧 오리라 생각하니 정원과 마음을 함께 가꿔 가는 글을 쓰기로 한 것은 정말 잘한 듯싶다.

산책길에 아주 커다란 배롱나무를 만난다. 너무 커 숲을 자세히 들여다보니 넓은 공간에 몇 그루가 모여있긴 하다. 그래도 한그루 자체가 시골집에 있는 배롱나무보다 훨씬 크다. 커다란 배롱나무도 신기한데, 아직도 지지 않은 붉은 꽃은 가는 가을이 아쉽기라도 한 듯 붉은빛을 더 붉힌다.

시골집의 배롱나무 꽃은 시월이 되면 거의 다 지고 잎도 떨어지기 시작한다. 여긴 더 북쪽에 있는 배롱나무지만, 아파트숲과 오가는 사람들의 따뜻한 시선 때문인지 서울 배롱나무는 아직까지 빨간 꽃이 절정이다. 사랑받음에 보답이라도 하려는 듯 붉은 웃음을 거두지 않고 있다. 매끈한 가지는 호피옷을 벗어버리며 날렵한 몸매를 자랑하지만 무성한 잎은 햇살을 더불어 노랗게 익어가는 초록잎으로 가을을 붙잡고 있다.

눈만 약간 돌리고 구겨진 마음만 살짝 편다면 어디서든, 얼마든지 아름다운 정원을 볼 수 있다. 울창한 아파트 숲에서도 따뜻한 감성의 공기와 돌보는 바람 속에서 마음을 나눌 수 있다.

어디에나 있는 나의 정원은 오늘도 곁에서 응원하고 있다.